# LIBRO
# DEL PROFESOR

**Sandra Becerril**
**Anna Méndez**
**Vanesa Rodríguez**

# LIBRO DEL PROFESOR

**Autoras:** Sandra Becerril, Anna Méndez, Vanesa Rodríguez

**Supervisión pedagógica:** Emilia Conejo

**Redacción:** Laia Sant

**Coordinación editorial:** Pablo Garrido

**Diseño:** CIFR4

**Ilustraciones:** Roger Zanni

**Fotografías:** Unidad 1 pág. 7 Ken Chernus/Getty Images; Unidad 2 pág. 15 David Crausby/Alamy/ACI; Unidad 3 pág. 25 Paul Trummer/Getty Images; Unidad 4 pág. 35 John Lund/Getty Images; Unidad 5 pág. 43 Manuel Ballestín; pág. 49 Pilar Aymerich; Unidad 6 pág. 53 García Ortega; Unidad 7 pág. 63 García Ortega; Unidad 8 pág. 73 Panoramic Images/Getty Images; Unidad 9 pág. 83 Marcus Lyon/Getty Images; Unidad 10 pág. 93 Hans Neleman/Getty Images; pág. 100 Gato Azul/Flickr

© Difusión, S.L., Barcelona 2007

ISBN edición española (*Aula 5*): 978-84-8443-192-3
ISBN edición internacional (*Aula internacional 4*): 978-84-8443-235-7
Depósito legal edición española (*Aula 5*): B-51977-2007
Depósito legal edición internacional (*Aula internacional 4*): B-51978-2007

Impreso en España por TESYS, S.A.

difusión
Centro de
Investigación y
Publicaciones
de Idiomas, S. L

C/ Trafalgar, 10, entlo. 1ª
08010 Barcelona
Tel. (+34) 93 268 03 00
Fax (+34) 93 310 33 40
editorial@difusion.com

**www.difusion.com**

# ESTRUCTURA DEL MANUAL

Las unidades didácticas presentan la siguiente estructura:

## 1. PORTADILLA

En la primera página de cada unidad, se encuentran el título y una imagen que guardan relación con los contenidos a aprender. Estos dos elementos permiten realizar actividades introductorias para movilizar los conocimientos previos de los estudiantes. Además, se indica la tarea final de la unidad, así como los contenidos lingüísticos que va a aprender para llevarla cabo.

## 2. COMPRENDER

Se presentan textos y documentos muy variados (anuncios, entrevistas, artículos, fragmentos literarios, etc.) que contextualizan los contenidos lingüísticos y comunicativos básicos de la unidad, y frente a los que los alumnos desarrollan fundamentalmente actividades de comprensión.

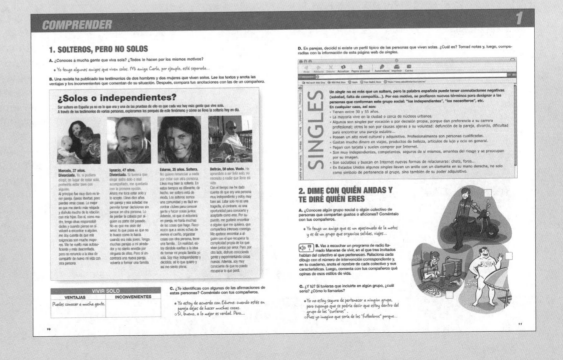

# 3. EXPLORAR Y REFLEXIONAR

En el segundo bloque, los alumnos realizan un trabajo de observación de la lengua a partir de nuevas muestras o de pequeños corpus. Se trata de ofrecer un nuevo soporte para la tradicional clase de gramática con el que los alumnos, dirigidos por el propio material y por el profesor, descubren el funcionamiento de la lengua en sus diferentes niveles (morfológico, léxico, sintáctico, funcional, discursivo…).

Se trata, por tanto, de ofrecer herramientas alternativas para potenciar y para activar el conocimiento explícito de reglas, sin tener que caer en una clase magistral de gramática.

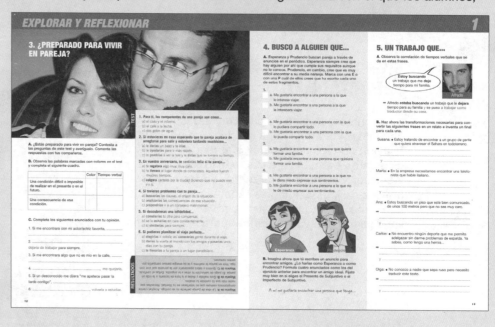

# 4. CONSULTAR

Este volumen, a diferencia de los anteriores, ofrece una doble página en la que se presentan esquemas gramaticales y funcionales a modo de cuadros de consulta. Con ellos, se ha perseguido, ante todo, la claridad, sin renunciar a una aproximación comunicativa y de uso a la gramática.

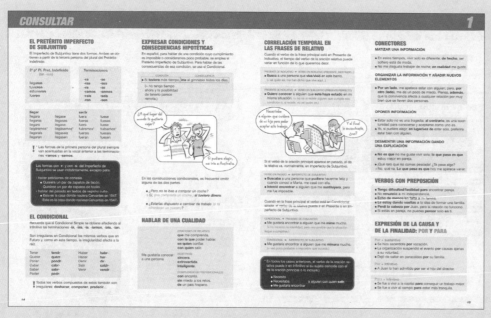

# 5. PRACTICAR Y COMUNICAR

El tercer bloque está dedicado a la práctica lingüística y comunicativa. Incluye propuestas de trabajo muy variadas, pero que siempre consideran la significatividad y la implicación del alumno en su uso de la lengua. El objetivo es experimentar el funcionamiento de la lengua a través de "microtareas comunicativas" en las que se practican los contenidos presentados en la unidad. Muchas de las actividades que encontramos en esta parte del manual están basadas en la experiencia del alumno: sus observaciones y su percepción del entorno se convierten en material de reflexión intercultural y en un potente estímulo para la interacción comunicativa dentro del grupo-clase.

Al final de esta sección, se proponen una o varias tareas cuyo objetivo es ejercitar verdaderos procesos de comunicación en el seno del grupo, que implican diversas destrezas y que se concretan en un producto final escrito u oral (una escenificación, un póster, la resolución negociada a un problema, etc.).

Este icono señala qué actividades pueden ser incorporadas a tu PORTFOLIO.

Además, el libro se completa con las siguientes secciones:

## MÁS EJERCICIOS

En este apartado se proponen nuevas actividades de práctica formal que estimulan la reflexión y la fijación de los aspectos lingüísticos presentados en las unidades. Los ejercicios están diseñados de modo que los alumnos los puedan realizar de forma autónoma, aunque también pueden ser utilizados en la clase para ejercitar aspectos gramaticales y léxicos de la secuencia.

## MÁS CULTURA

Esta sección incluye una selección de textos de diferentes tipos (artículos, fragmentos literarios, anuncios…) y explotaciones pensadas para que el estudiante amplíe sus conocimientos sobre temas culturales relacionados con los contenidos de las unidades. El carácter complementario de esta sección permite al profesor incorporar estos contenidos a sus clases y al estudiante profundizar en el estudio del español por su cuenta.

Además del apartado de gramática incluido en cada unidad, *Aula internacional 4* cuenta con una sección que aborda de forma más extensa y detallada todos los puntos gramaticales de las diferentes unidades: **MÁS GRAMÁTICA**.

# ÍNDICE

# MANERAS DE VIVIR

Pregunte a sus alumnos qué afición tienen las personas que aparecen en la fotografía. **¿Son ellos mismos o algún conocido o amigo aficionados al surf?** Pregúnteles si creen que los surferos tienen una manera peculiar de vivir. **¿Conocen otros grupos, tribus o colectivos con un estilo de vida peculiar?** Puede hacer una lista en la pizarra. Pregúnteles si existe alguna característica en su forma de vida que sea común a todos ellos. Es muy posible que den respuestas como **libertad, diversión**, etc.

Por último, presénteles los objetivos de la unidad y la tarea final: diseñar un paraíso donde vivir.

# MANERAS DE VIVIR

## COMPRENDER

## 1. SOLTEROS, PERO NO SOLOS

*Leer los testimonios de varias personas que viven solas (sin pareja) y reflexionar acerca de las ventajas y los inconvenientes de esta situación. Definir el perfil del soltero en la actualidad.*

### ANTES DE EMPEZAR

Lea el título de la actividad, **Solteros, pero no solos**, y pregunte a sus alumnos en qué se parecen y en qué se diferencian estas palabras. Pregúnteles qué creen que expresa la frase del título.

### PROCEDIMIENTOS

**A.** Pregunte a sus alumnos si conocen gente que vive sola, sin pareja. Pídales que comenten en parejas por qué creen que esas personas viven solas. Haga una puesta en común en clase abierta y anote en la pizarra los motivos que aparezcan: **porque están separados/viudos/divorciados, porque han decidido no casarse, porque no han encontrado a la persona ideal con la que compartir su vida**, etc.

**B.** Pídales, ahora, que lean los testimonios de cuatro solteros en una revista y que anoten las ventajas y los inconvenientes de la soltería que aparecen en cada texto. Pídales que comparen sus notas con las de un compañero.

*Solución*
*VENTAJAS*
*Ganas libertad.*
*Te sientes más relajado/a.*
*Eres más autosuficiente.*
*Puedes tomar decisiones sin pensar en otra persona.*
*Puedes conocer a mucha gente.*
*No hay que renunciar a nada.*
*Es una oportunidad para conocerte y aceptarte a ti mismo.*

*INCONVENIENTES*
*Como madre, tienes otras responsabilidades.*
*Eres/Te vuelves más desconfiado/a.*
*Echas de menos el cariño de otra persona.*
*No puedes organizar cosas con otra persona.*
*No tienes tu propia familia.*

**C.** Pídales que señalen en sus anotaciones con qué afirmaciones están de acuerdo y que lo comenten con un compañero.

Si lo considera oportuno, puede proponer en este momento, o bien tras el apartado **D**, una reflexión sobre los conectores. Recuerde a sus alumnos que, en un texto argumentativo, las ideas están conectadas mediante marcadores que indican la relación entre ellas (matizan, oponen, etc.). Pida a sus alumnos que vuelvan a leer el texto y que subrayen los conectores que se utilizan. Puede

dar el primer ejemplo: **No es que me aísle del amor,** *lo que pasa es que* **no lo busco como cuando era más joven.** Explique que **lo que pasa es que** es un conector que se usa para introducir una explicación que desmiente la información anterior.

Mientras sus alumnos realizan la actividad, escriba en la pizarra las funciones que pueden desempeñar los conectores del texto:

**Matizar una información**
**Organizar la información y añadir nuevos elementos**
**Oponer información**
**Desmentir una información dando una explicación**

A continuación, pídales que relacionen cada conector con la función que desempeña y anímelos a que contrasten sus hipótesis con el apartado *Conectores* de la sección CONSULTAR, en la página 15. Antes de continuar, sus alumnos pueden hacer el ejercicio 6 de la página 112.

**D.** Escriba la palabra **perfil** en la pizarra y pregunte a sus alumnos si conocen el significado del término. Si lo considera necesario, puede dibujar en la pizarra el perfil de un rostro humano. Asegúrese de que quedan claros los dos significados más importantes: **postura en que no se deja ver sino una sola de las dos mitades laterales del cuerpo** y **conjunto de rasgos peculiares que caracterizan a alguien o algo**. Explique que en este texto se describe a los *singles* o personas que viven solas. Pregúnteles si creen que se puede determinar un perfil típico de los *singles*. Para ello, anímelos a discutir por parejas y a elaborar una lista de las características de estas personas, es decir, un perfil. Posteriormente, pídales que lean el texto para comparar su perfil con el que ofrece la página web. Haga una puesta en común en clase abierta con preguntas como: **¿hay alguna característica que habéis anotado y que no aparece en el texto del libro? ¿Coincide, en general, vuestro perfil con el del texto?**

Pregunte a sus alumnos, finalmente, qué motivos tienen las personas, según el texto, para ser *singles*. La respuesta es: **por vocación**, **por decisión propia** o **por causas ajenas a su voluntad**. Hágales notar el uso de la preposición **por** y pregúnteles si creen que expresa causa o finalidad. La respuesta es **causa**. Remítales al apartado *Expresión de la causa y la finalidad: por y para*, de la sección CONSULTAR, en la página 15. Antes de continuar, le recomendamos que sus alumnos que hagan el ejercicio 13 de la página 115.

### Y DESPUÉS

Aproveche toda la información que aparece en los textos para fomentar una charla sobre los solteros en sus respectivos países: cómo percibe la sociedad a una persona que no está casada o no vive en pareja, qué cambios se han dado en su situación en los últimos años, etc. Puede aprovechar para explicar que **soltero** viene de la palabra latina *solitarius*, que significa **solo, aislado**.

**MÁS EJERCICIOS**
Página 111, ejercicio 4.
Página 112, ejercicio 5.
Página 113, ejercicios 7 y 8.
Página 115, ejercicio 12.

# 2. DIME CON QUIÉN ANDAS Y TE DIRÉ QUIÉN ERES

*Escuchar un programa radiofónico en el que tres personas hablan de los colectivos a los que pertenecen. Identificarse con algún colectivo y explicar el motivo.*

## ANTES DE EMPEZAR

Lea el título de la actividad y pregunte a sus alumnos si conocen el significado de este dicho popular. Si no lo conocen, anímelos a hacer suposiciones. Es muy posible que exista un dicho similar en su lengua. Si lo considera conveniente, puede preguntarles por las posibles diferencias de matíz en el significado. Por último, interésese por su opinión, preguntando: **¿estáis de acuerdo con el mensaje del dicho?**

## PROCEDIMIENTOS

**A.** Recuerde a sus alumnos que, al principio de la unidad, se mencionaron algunos colectivos con un estilo de vida peculiar. Pregúnteles ahora si conocen otros colectivos o grupos de personas que compartan gustos o aficiones y añádalos a la lista de la pizarra o haga una lista nueva. Invite a sus alumnos a charlar en grupos pequeños sobre estos colectivos. Puede utilizar las siguientes preguntas como guía: **¿a qué se dedican cuando están juntos? ¿Tienen algún estilo de vida peculiar? ¿Es posible reconocerlos fácilmente por su vestimenta o alguna otra característica?** Haga, después, una puesta en común en clase abierta.

**B.** Dirija la atención de sus alumnos a los tres dibujos y explíqueles que cada persona pertenece a un colectivo diferente. Anímelos a hacer hipótesis acerca de cada uno y a comentarlas con un compañero. Explíqueles entonces que van a escuchar un programa de radio titulado *Maneras de vivir* en el que estas tres personas hablan acerca del colectivo al que pertenecen. Explíqueles que van a escuchar la grabación dos veces. En la primera audición deberán relacionar cada intervención con el dibujo correspondiente. En la segunda, pídales que anoten en su cuaderno el nombre de cada uno de los colectivos y sus características. Realice luego una puesta en común en clase abierta.

### Solución
#### 1. Escuterista
*Les gustan las motos escúter, la música mod y viajar en vespa por carreteras secundarias. Rescatan motos viejas y las arreglan con amigos. También se reúnen los fines de semana y se hacen entregas de premios.*

#### 2. Ciberadictos
*Se pasan horas navegando en la red, pero no se sienten solos porque se comunican a través de foros, chats y correo electrónico. No necesitan verse para estar en contacto. Hay mucha gente joven, pero no es un fenómeno exclusivamente adolescente.*
*Les encantan los videojuegos y se reúnen en tiendas de informática, cibercafés, convenciones de seguidores de Star Trek o Star Wars...*

#### 3. Nudistas
*Piensan que el nudismo es una forma de vida, que el cuerpo humano es noble y estar desnudo algo natural. Practican el desnudo integral.*
*Les gusta hacerlo todo desnudos porque eso les da una gran sensación de libertad.*
*Quieren conseguir que se les permita desnudarse en cualquier parte, no solo en lugares especiales que les hacen sentirse como en un gueto.*

Si lo desea, puede aprovechar la actividad para hacer un comentario sobre el origen del movimiento mod:

> ### LOS MOD
>
> El movimiento mod (de *modernism*) es un estilo de vida que se basa en la música y la moda que se dieron en Londres y otras ciudades inglesas entre los últimos años de la década de 1950 y la primera mitad de la década de 1960. Los mod se caracterizan especialmente por su música (con grupos como The Who), su forma de vestir y las motos escúter.

**C.** Pregúnteles si se sienten identificados con alguno de los colectivos que han aparecido hasta el momento y por qué. A continuación, pídales que imaginen un colectivo nuevo en el que podrían incluirse de acuerdo con sus gustos y aficiones y que le den un nombre. Puede empezar poniéndose a usted mismo como ejemplo: **A mí me encanta hacer viajes largos con una mochila a la espalda y gastar poco dinero, dormir en albergues y refugios, moverme en autostop, etc., así que soy una mochilera, pertenezco al colectivo de los mochileros.** Déjeles un tiempo para que lo comenten en parejas y luego haga una rápida puesta en común anotando los nombres de los colectivos que aparezcan o facilitando también el vocabulario: **futboleros, surferos, ecologistas, ratones de biblioteca, melómanos, cinéfilos, deportistas, radioaficionados, activistas políticos**, etc.

## Y DESPUÉS

Si lo considera conveniente, puede decir a sus alumnos que, ahora que ya son capaces de hacer un retrato de los colectivos más característicos de la sociedad actual, pueden escribir, por parejas, un texto similar al del apartado **D** de la actividad 1 sobre uno de los colectivos que ellos escojan, pero sin revelar de cuál se trata. Recoja los textos más tarde o al día siguiente y vuelva a repartirlos entre los grupos, asegurándose de que ningún grupo recibe su propio texto. Anímelos a averiguar de qué colectivo habla el texto que han recibido y a añadir o corregir información con la que no estén de acuerdo.

asegúrese de que sus alumnos han comprendido el fenómeno gramatical que les ocupa.

## MÁS EJERCICIOS
Página 110, ejercicio 1, 2.
Página 111, ejercicio 3.

## EXPLORAR Y REFLEXIONAR

### 3. ¿PREPARADO PARA VIVIR EN PAREJA?

*Contestar un cuestionario sobre la vida en pareja y comentar los resultados. Reflexionar sobre el uso del Condicional y del Imperfecto de Subjuntivo para expresar condiciones y consecuencias hipotéticas.*

#### PROCEDIMIENTOS
**A.** Introduzca el tema señalando a la pareja y explicando que mucha gente opta por vivir de esta forma, aunque también tiene ventajas e inconvenientes. Pida a sus alumnos que comenten con un compañero si se consideran preparados para vivir en pareja y recoja después algunas de sus respuestas. Es muy posible que muchos se sientan indecisos o inseguros, por lo que puede decirles que, a continuación, van a realizar un test para averiguarlo y/o contrastar sus opiniones iniciales. Pídales que contesten el test individualmente. Resuelva, mientras tanto, las posibles dudas de vocabulario que puedan surgir. Después, anímelos a contrastar sus resultados con otras dos personas. Si piensa que sus alumnos se van a sentir cómodos, puede hacer una puesta en común en clase abierta. Si no, pase directamente al siguiente apartado.

**B.** Pídales ahora que observen las formas verbales marcadas en azul y verde y pregúnteles si las reconocen y a qué tiempos verbales corresponden (Imperfecto de Subjuntivo y Condicional). Anímelos a completar el cuadro atendiendo a la información que aporta cada tiempo verbal.

*Solución*
*-Una condición difícil o imposible de realizar en el presente o en el futuro: Azul/Imperfecto de Subjuntivo*
*-Una consecuencia de esta acción: Verde/Condicional*

Antes de continuar, reflexione con ellos sobre la formación de estos dos tiempos verbales. Remítalos a la sección CONSULTAR de la página 14. Si lo considera oportuno, puede pedirles que hagan los ejercicios 1 y 2 de la página 110 antes de pasar al siguiente apartado.

**C.** Pídales ahora que se fijen en las siguientes condiciones hipotéticas, que aparecen incompletas. Explique que deben completarlas poniéndose en cada una de esas situaciones y con el tiempo verbal apropiado para cada caso. Haga una puesta en común en clase abierta y

### 4. BUSCO A ALGUIEN QUE...
*Reflexionar sobre el matiz de significado que aporta el uso de Presente de Subjuntivo o de Imperfecto de Subjuntivo en las frases de relativo cuyo verbo principal está en Condicional.*

#### ANTES DE EMPEZAR
Pregunte a sus alumnos a qué medios suele recurrir una persona para buscar pareja. Si ninguno menciona la posibilidad de escribir un anuncio en una revista o periódico, introdúzcala usted.

#### PROCEDIMIENTOS
**A.** Explíqueles que Esperanza y Prudencio buscan pareja a través de anuncios en el periódico. Quizá sus alumnos no entiendan el juego de palabras con los nombres de los personajes. Pregúnteles cómo creen que es cada uno fijándose en las imágenes.

A continuación, llame su atención sobre el nombre **Esperanza** y pregunte si conocen el significado del término. Explíquelo en caso necesario. Relacione después **Prudencio** con el sustantivo **prudencia** y aclare de nuevo su significado. Explique, por último, que ambos son nombres propios en castellano, si bien el segundo no es muy corriente.

Diga a continuación que Esperanza es muy optimista y confía en encontrar lo que busca, mientras que Prudencio, más prudente e inseguro, cree que es más difícil. Pídales que lean las frases y las relacionen con cada personaje escribiendo una E (Esperanza) o una P (Prudencio) al lado de cada afirmación.

*Solución*
1. a. E   b. P
2. a. P   b. E
3. a. E   b. P
4. a. P   b. E

Pida a sus alumnos que vuelvan a leer las frases fijándose en el tiempo verbal que utiliza Esperanza y en el que utiliza Prudencio y pregúnteles de qué tiempo se trata. (Esperanza usa el Presente de Subjuntivo y Prudencio el Imperfecto de Subjuntivo). Pregúnteles cuál de ellos expresa un mayor grado de probabilidad y hágales ver que se utiliza el Presente de Subjuntivo para introducir una situación que puede llegar a cumplirse, mientras que el Imperfecto indica que el hablante considera poco probable o imposible que la acción suceda.

**B.** Explique a sus alumnos que van a escribir un anuncio para encontrar amigos. Pídales que piensen en cuatro características ideales y decidan, según del grado de probabilidad de encontrar a alguien que las reúna, si van a utilizar el Presente o el Imperfecto de Subjuntivo. Deles tiempo para escribir individualmente. Para la puesta en común, diga a sus alumnos que es posible que ese amigo ideal se encuentre en la clase y que deben escuchar atentamente a sus compañeros para ver si cumplen las características que mencionan. Invite a algunos alumnos a leer sus frases y al resto a levantar la mano si se sienten reflejados en la descripción.

## 5. UN TRABAJO QUE...
*Reflexionar sobre la correlación de los tiempos verbales en las frases de relativo.*

### OBSERVACIONES PREVIAS
Explique a sus alumnos que las frases de la actividad anterior eran frases de relativo y que, en este tipo de frases, es fundamental tener en cuenta la correlación de los tiempos verbales. Si lo considera conveniente, puede remitirlos al apartado *Correlación temporal en frases de relativo* de la sección CONSULTAR, en la página 15. Explique que, en las frases de la actividad 4, el verbo de la oración principal aparecía siempre en condicional, pero que si este verbo cambia, los verbos de la oración subordinada deben hacerlo también.

### PROCEDIMIENTOS
**A.** Explique a sus alumnos que en esta actividad van a aprender a convertir una información expresada con una frase de relativo en un relato. Pida a sus alumnos que lean lo que dice Alfredo y, posteriormente, la frase marcada con la flecha en rojo. Pregúnteles en qué caso se habla del presente y en cuál del pasado. A continuación, pídales que identifiquen los tiempos verbales empleados en las dos frases y anímelos a descubrir qué cambios tienen lugar. Pídales que lo comenten por parejas.

Después, remítalos al apartado *Correlación temporal en frases de relativo* de la sección CONSULTAR, en la página 15. Hágales notar que, si el verbo de la frase principal está en Presente de Indicativo, el verbo de la oración subordinada puede aparecer en Indicativo o Subjuntivo dependiendo de lo que queramos decir. Por otro lado, cuando el verbo de la oración principal está en pasado, se utiliza el Imperfecto de Subjuntivo en la oración relativa, si la existencia del referente era desconocida, y el Imperfecto de Indicativo cuando se hace referencia a algo o alguien cuya existencia o identidad conocíamos (por ejemplo, en la oración **Buscaba a alguien que vivía/había vivido allí.**).

**B.** Pida a sus alumnos que hagan la actividad por parejas y paséese por la clase resolviendo las posibles dudas. Después haga una puesta en común en clase abierta.

**MÁS EJERCICIOS**
Página 113, ejercicio 9.

## PRACTICAR Y COMUNICAR

## 6. DIARIO DE LUPE
*Dar consejos poniéndose en el lugar de otra persona.*

### OBSERVACIONES PREVIAS
En esta actividad sus alumnos conocerán un nuevo uso de la estructura presentada en la actividad 3 para expresar condiciones y consecuencias hipotéticas (Imperfecto de Subjuntivo + Condicional). En este caso, se trata de aconsejar y proponer soluciones a un problema.

### ANTES DE EMPEZAR
Pregunte a sus alumnos si saben lo que es un *blog*. Pregúnteles qué tipos de *blogs* conocen y qué temas suelen tratar. Explique que se trata de una página web personal de fácil manejo en la que los artículos o entradas se publican cronológicamente, por lo que muchas personas lo utilizan como diario personal y comparten su vida y sus observaciones con otra gente.

### PROCEDIMIENTOS
**A.** Explíqueles que este es el caso de Lupe, una *single*, y dígales que Lupe tiene que tomar una decisión ante una situación difícil, pero se siente incapaz. Por eso, varios de sus lectores le han enviado su opinión. Pídales que lean el *blog* para descubrir qué problema tiene Lupe y por qué está indecisa y que digan con cuáles de los tres primeros consejos que aparecen a la derecha están de acuerdo. A continuación, pídales que completen los que están inacabados teniendo en cuenta los tiempos verbales que aparecen. Si lo considera conveniente, puede hacer un breve repaso de la estructura que van a necesitar. Pídales que completen los consejos en parejas y paséese por la clase para resolver dudas. Haga una puesta en común en clase abierta. Si lo considera conveniente, para hacer la corrección puede anotar en la pizarra los consejos de sus alumnos de manera que las formas verbales queden alineadas en una misma columna.

**B.** Pregunte a sus alumnos si alguno de ellos tiene un *blog*, o si participa o sigue alguno. Esta actividad puede ayudarle a conocer mejor a su grupo y sus intereses personales. Puede pedirles que presenten su *blog* preferido y, si lo considera conveniente, puede sugerirles que creen un *blog* en español, sea un diario individual sobre el curso o sobre otro tema que les interese. Una forma fácil y rápida de crear un *blog* es mediante el servicio Blogger, que puede encontrarse fácilmente en la red (**www.blogger.com**).

## 7. CITAS RÁPIDAS

*Conocer el fenómeno social denominado speed dating y opinar sobre él. Elaborar un cuestionario para decidir si desean salir con una persona.*

### PROCEDIMIENTOS

**A.** Pregunte a sus alumnos: **¿habéis oído hablar del speed dating? ¿Sabéis en que consiste?** En caso de que no lo sepan, explique que se trata de citas rápidas entre personas que buscan pareja. Cada persona de un grupo dispone de un tiempo limitado para establecer contacto y entablar una conversación con cada una del otro grupo para determinar si la persona en cuestión les interesa. Anímelos a que comenten, en pequeños grupos, qué les parece la idea y a contar sus experiencias, en caso de haber participado en un encuentro de este tipo.

**B.** Ahora, pida a sus estudiantes que se imaginen que van a participar en un *speed dating*. Dígales que entre todos deben decidir si el objetivo del encuentro es encontrar a una persona con quien salir, ir de vacaciones, trabajar en un proyecto, etc.

Una vez decidido el objetivo, pídales que piensen en las siete preguntas que le harían a una persona para saber si se ajusta a lo que buscan y que las escriban. Puede poner como ejemplo una pregunta que haría usted para escoger a una persona con quien salir: **¿dónde te gustaría ir de viaje si tuvieras mucho dinero y un mes de vacaciones?** A continuación, pídales que comparen sus preguntas con las de otros dos compañeros y escojan las siete mejores para elaborar un test a partir de ellas. Explíqueles que el test no será de respuesta abierta sino de selección múltiple, por lo que necesitarán pensar, además, en tres posibles respuestas para cada pregunta. Las respuestas para la pregunta anterior podrían ser:

> a) A un hotel de lujo en un isla paradisíaca, con pensión completa.
> b) Cogería una mochila y atravesaría Australia.
> c) Compraría un billete en el Transiberiano para recorrer desde Moscú hasta Pekín.

Dé tiempo a los alumnos para elaborar el cuestionario y pasee por los grupos para revisar la producción escrita.

### Y DESPUÉS

A continuación, puede organizar el *speed dating* en clase. Cada estudiante tendrá el cuestionario que ha elaborado en grupo. Divida a la clase en dos grupos o más, dependiendo del número de alumnos que tenga, y coloque a sus estudiantes en dos filas, de forma que cada uno tenga a un compañero enfrente. Explíqueles que disponen de cuatro minutos para hacer las preguntas del cuestionario a su compañero antes de cambiar de pareja. Cada estudiante deberá anotar las respuestas de sus compañeros y, al final, escoger a la persona ideal para el objetivo marcado en el apartado **B**.

**MÁS EJERCICIOS**
Página 115, ejercicios 11 y 14.

## 8. TENDENCIAS

*Extraer información de una encuesta radiofónica y opinar sobre los temas de la encuesta para averiguar si es posible reconocer una tendencia mayoritaria en el grupo sondeado.*

### PROCEDIMIENTOS

**A.** Explique a sus alumnos que van a escuchar una encuesta que un grupo de estudiantes ha elaborado para conocer los hábitos y gustos de las personas de su entorno. Se han centrado en tres temas: viajes, trabajo y educación. Pídales que miren las fotografías de la actividad y que lean las preguntas y dígales que para cada pregunta van a escuchar las respuestas de dos personas diferentes. Pídales que completen el cuadro con las respuesta de cada persona como en el ejemplo.

*Solución*
1.
b. Prefiere viajar en grupo porque le divierte ir con otras personas para comentar y hablar sobre el viaje.
2.
a. Prefiere trabajar en equipo en una oficina porque en casa no sería capaz. Prefiere tener un horario y compañeros de trabajo con los que relacionarse.
b. Prefiere trabajar solo. Así se organiza el trabajo y sus horarios como le conviene.
3.
a. Prefiere clases presenciales en grupo. Se lo pasa bien con las personas de su grupo, a quienes conoce desde hace años, le gusta el contacto personal y el profesor hace las clases a su medida.
b. Le gustan las clases por internet porque la atención es personalizada y se conecta cuando le viene bien a él.

**B.** Anímelos, a continuación, a hablar, en grupos de cuatro, de sus preferencias con respecto a estos temas. Puede empezar usted hablando de las suyas.

**C.** Pida a cada grupo que nombre un portavoz para comentar con el resto cuál es la opinión mayoritaria. Al final, intente fomentar una charla acerca de la tendencia mayoritaria y sus motivos, si hay alguna clara, o sobre la falta de la misma.

## 9. ¿QUÉ ES UN AMIGO?

*Reflexionar sobre el concepto de amistad. Definir usando frases de relativo.*

### PROCEDIMIENTOS

**A.** Escriba la palabra **amistad** en la pizarra y pregunte a sus alumnos con qué la relacionan. Apunte las ideas en la pizarra. Ahora fije su atención en la pregunta que da título a la actividad y, si lo considera conveniente, explique que la definición de amigo es algo muy subjetivo y que puede cambiar también de una cultura a otra. Por eso, una publicación ha decidido ofrecer un premio a la mejor definición de amigo. Pídales que lean las definiciones de varias personas y que seleccionen la que les parece mejor. Anímelos a comentar su elección con un compañero y después haga una puesta en común en clase abierta. A continuación pídales que escriban su propia definición. Puede aprovechar para centrar su atención en el uso de las frases relativas con preposición para definir y anotar en la pizarra:

**Es una persona/alguien/aquel + con/para/a/por + el/la que…**
**Es una persona/alguien/aquel que…**

Recuérdeles que, en el caso de la preposición **a** y el artículo determinado masculino, se produce una contracción:

**Es aquel <u>al que</u> le puedes contar tus problemas y te escucha.**

**B.** Pídales ahora que piensen en cualidades para cada una de estas personas u objetos y que completen las definiciones individualmente. A continuación, pídales que comparen sus definiciones con las que hayan hecho otros dos compañeros y escojan entre los tres aquella que más les guste para cada categoría. Haga una puesta en común y anote en la pizarra las definiciones para seleccionar, entre todos, la más popular de cada categoría.

### Y DESPUÉS
Puede proponerles algunas categorías más para que elaboren una definición para el próximo día de clase. Posibles categorías: **una buena canción, una buena película, un buen libro, un buen padre, un buen hijo, un buen estudiante, una fiesta divertida, una persona interesante, una idea brillante,** etc. También puede animarlos a que aporten una categoría que se les ocurra.

### MÁS EJERCICIOS
Página 114, ejercicio 10.

## 10. PARAÍSOS EN LA TIERRA
*Leer tres textos sobre paraísos en la Tierra y opinar sobre ellos. Diseñar un paraíso donde vivir.*

### OBSERVACIONES PREVIAS
En esta actividad sus alumnos elaborarán un "producto" que pueden incluir en su Portfolio.

### ANTES DE EMPEZAR
Anote en la pizarra los nombres de los tres colectivos: urbanitas, habitantes de la *blogosfera, okupas neorrurales.* Pregunte a sus alumnos si se imaginan cómo pueden ser los integrantes de estos colectivos y a qué se dedican.

### PROCEDIMIENTOS
**A.** Explique a sus alumnos que los textos siguientes explican cómo son los integrantes de estos grupos y su paraíso. Pídales que lean los textos para decidir si se sienten identificados con alguno de los colectivos y si creen que podrían vivir así o no, y por qué. Después de la lectura individual, anímelos a comparar sus opiniones con las de otros compañeros y haga una puesta en común. Si lo considera conveniente, puede invitarlos a pensar en un lema para cada colectivo.

**B.** Recuérdeles que la tarea final de esta unidad es diseñar un paraíso alternativo. Pídales que, en grupos de tres, piensen un posible lugar, definan el perfil de sus habitantes y le den un nombre. Pueden escoger alguno de los temas que aparecen en los recuadros naranjas u otro nuevo. Adviértales que, al final, un portavoz de cada grupo va a presentar su paraíso al resto de la clase y dirija su atención a la muestra de lengua del apartado **C**.

**C.** Pida a los portavoces que presenten sus paraísos respectivos y al resto, que vaya tomando notas acerca de los paraísos en los que podrían vivir y en los que no podrían. Al final, fomente un debate con las opiniones de sus alumnos.

## MÁS CULTURA

### SOLO TANGO
*Leer varios textos sobre el tango. Escuchar un tango y captar el sentimiento que transmite. Hablar sobre algún baile o intérprete característico del propio país.*

### ANTES DE EMPEZAR
Pregunte a sus alumnos qué estilos musicales del mundo hispano conocen y apúntelos en la pizarra. Explique que van a escuchar unos segundos de un tema perteneciente a un estilo muy importante y anímelos a identificarlo. Para ello, ponga los primeros minutos de un tango (puede ser *Yira, Yira,* que está en la pista 36 del CD y que más tarde usará en el apartado **B**). Si lo han reconocido, anímelos a explicar por qué. Si no, deles usted la solución.

### PROCEDIMIENTOS
**A.** Pregunte a sus alumnos: **¿qué sabéis sobre el tango? ¿Os gusta? ¿Con qué instrumentos lo asociáis?** Pídales a continuación que miren la fotografía de la página 156 y anímelos a comentarla. Formule las siguientes preguntas: **¿habéis visto alguna vez bailar el tango o lo habéis bailado vosotros? ¿Cómo se baila?** Explíqueles que los textos que aparecen en esta actividad aportan información sobre la historia del tango y sus figuras más importantes y

que, gracias a ellos, van a entender mejor este estilo musical. Pídales que los lean y, mientras tanto, reparta fotocopias con las siguientes preguntas y concédales un tiempo para encontrar las respuestas en los textos. Adviértales de que no deben leer aún la columna titulada "Percanta que me amuraste", con la que trabajarán más tarde.

---

## ¿QUÉ SABES SOBRE EL TANGO?

1. ¿Dónde, cuándo y cómo se origina el tango?

2. ¿Dónde se solía bailar y quién lo bailaba, principalmente?

3. ¿Con qué instrumentos se toca, generalmente?

4. ¿Qué son los milongueros?

5. ¿Qué diferencia al tango nuevo del tango tradicional?

6. ¿Cuáles son los temas principales del tango?

7. ¿Quién era Carlos Gardel?

8. ¿Cómo se llamaba uno de los principales compositores de tango y cuáles son algunas de sus obras principales?

9. ¿Por qué ha sido Piazzola fundamental en la historia del tango y qué polémica existe alrededor de su figura?

---

Pregunte ahora a sus alumnos si saben en qué lengua se canta el tango y dirija su atención a la columna "Percanta que me amuraste". Explique que este título está escrito en la lengua del tango y anímelos a leerlo para descubrir de qué lengua se trata y qué rasgos especiales presenta.

Después, pregúnteles si conocen algún fenómeno similar o si ellos alguna vez han empleado mecanismos para evitar que otros comprendieran lo que estaban diciendo.

**B.** Pregunte a sus alumnos qué sentimientos creen que expresa el tango. Luego, explíqueles que van a escuchar el tango *Yira, Yira*, de Discépolo, y que deben intentar resumir en una palabra o una frase el sentimiento que transmite. Haga hincapié en que no se trata ahora de entender toda la letra, sino el sentimiento global. Haga una puesta en común en clase abierta.

Pida ahora a sus alumnos que, en parejas, lean la letra del tango, subrayen las palabras que les parecen lunfardas e intenten averiguar su significado sin consultar el diccionario lunfardo de la página 156. Cuando hayan terminado,

anímelos a contrastar sus hipótesis con el diccionario y haga una puesta en común en clase abierta. Por último, pregúnteles si creen que la letra se corresponde con el sentimiento que transmite la música.

**C.** Puede preguntar a sus alumnos si en sus respectivos países existe algún baile o música típicos. Si su grupo está formado por alumnos del mismo país, puede hacer la misma pregunta referida a sus diferentes regiones de procedencia. Anímelos a explicar al resto de la clase todo lo que saben sobre ese baile o estilo musical. Si lo prefiere, puede concederles tiempo hasta la próxima sesión para que preparen una breve exposición oral sobre los aspectos que más les interesen y para que traigan una muestra en audio o video de algún intérprete significativo.

# 2 ASÍ PASÓ

Pida a sus estudiantes que observen la fotografía de la portadilla y formule las siguientes preguntas sobre la escena que en ella aparece: ¿Quiénes son las personas con cámaras de fotos? ¿Quién creéis que puede ir en el interior del coche? ¿Dónde creéis que están y por qué?

Por último, pregúnteles si han sido alguna vez testigos de una situación similar.

Presente los objetivos de la unidad y explique a sus alumnos que al finalizarla van a escribir la crónica de un suceso.

## COMPRENDER

### 1. CRÓNICAS

*Leer tres crónicas periodísticas y escoger un titular y una frase final para cada una de ellas. Hablar de personajes famosos de la actualidad y de los hechos que estos protagonizan.*

#### OBSERVACIONES PREVIAS

La crónica es un género periodístico que consiste en la narración de sucesos de actualidad siguiendo el orden cronológico en el que han tenido lugar que y suele incluir testimonios directos. Existen varios tipos de crónica, según el asunto que traten: la deportiva, la política, la social, la artística, la cultural…

#### ANTES DE EMPEZAR

Lleve algunos periódicos a clase y, antes de repartirlos, pregunte a sus alumnos qué géneros pueden aparecer en un periódico. Ofrézcales algún ejemplo (**entrevista**, **artículo de opinión**…). A continuación, reparta los periódicos y anime a sus alumnos a hojearlos en busca de nuevos géneros periodísticos (noticia, reportaje, crónica, artículo de opinión, editorial…). Espere a que mencionen la crónica, y, si no lo hacen, introduzca este género usted mismo. Invite a sus alumnos a que expliquen en qué consiste y a encontrar alguna crónica en el periódico que están utilizando.

#### PROCEDIMIENTOS

**A.** Pida a sus alumnos que observen las fotografías que acompañan a cada una de las crónicas y pregúnteles si reconocen a los personajes que aparecen. A continuación, si sus alumnos no son capaces de ponerles nombre, reparta el siguiente cuadro con información sobre ellas y pídales que la relacionen con la crónica y la fotografía correspondientes.

- [ ] **Joan Manel Serrat** (Barcelona, 1943). Cantautor.

- [ ] **Juan Carlos I de Borbón** (Roma, 1938). Rey de España.

- [ ] **Sofía de Grecia** (Atenas, 1938). Reina de España.

- [ ] **Felipe de Borbón y Grecia** (Madrid, 1968). Príncipe de Asturias, heredero de la Corona de España.

- [ ] **Leticia Ortiz Rocasolano** (Oviedo, 1972). Princesa de Asturias, heredera consorte de la Corona de España.

- [ ] **Zinedine Zidane** (Marsella, 1972). Futbolista.

Anímelos a agruparse de tres en tres para que se cuenten todo lo que saben sobre estos personajes. Haga después una puesta en común en clase abierta.

Si sus alumnos no tienen dificultades para reconocer a los personajes, puede suprimir la actividad del texto y pasar directamente al trabajo en grupos.

**B.** Explique a sus alumnos que a estas crónicas les falta el titular. Pídales que las lean y que, en parejas, inventen uno para cada una. A continuación, puede realizar con sus alumnos la actividad 3 de la página 117.

**C.** Por último, pida a los alumnos que, de nuevo por parejas, escojan la mejor frase para cerrar cada una de las crónicas y justifiquen su elección.

#### Y DESPUÉS

Aproveche los temas que se han tratado para fomentar una charla entre sus alumnos. Invítelos a comentar el en grupos de tres el último concierto al que fueron, la última boda o el último partido de fútbol al que asistieron y a contrastar sus experiencias.

### 2. UNA MAREA NEGRA

*Leer dos crónicas sobre el naufragio de un petrolero y extraer la información más importante. Escuchar el testimonio de dos personas que vivieron la catástrofe y opinar sobre este tipo de sucesos. Reflexionar sobre la colocación de los adjetivos.*

#### PROCEDIMIENTOS

**A.** Escriba en la pizarra la expresión **desastre ecológico** y pregunte a sus alumnos entienden su significado. Pregúnteles, después, si recuerdan algún desastre ecológico. Si les cuesta recordar, aporte usted mismo un ejemplo como el del trágico accidente de 1986 en la central nuclear de Chernóbil, Ucrania. Puede hacer las siguientes preguntas al respecto: **¿qué pasó? ¿Cuándo ocurrió? ¿Dónde?** Vaya anotando las respuestas en la pizarra, y señale después la expresión **accidente nuclear**. Pregúnteles qué otros tipos de catástrofe se pueden dar. Algunas respuestas posibles son: **vertidos tóxicos**, **incendio** y **marea negra**. Asegúrese de que aparece esta última posibilidad.

**B.** Centre la atención de sus alumnos en la marea negra y pregúnteles si saben cuáles son sus causas y qué consecuencias puede tener. Es posible que alguno de sus alumnos haya oído hablar del desastre del Prestige. Pregúnteles por él y explíqueles después en qué consistió: el año 2002 el buque petrolero Prestige provocó una gran marea negra en las costas de Galicia, España. Si lo considera conveniente, puede mostrar fotografías de la catástrofe para que sus alumnos se den cuenta de la magnitud del desastre y afronten la lectura de los textos con mayor interés. Explíqueles que, a continuación, van a leer dos crónicas sobre el suceso, de las que deberán subrayar y extraer la información más importante. Al finalizar la lectura haga una puesta en común en clase abierta.

**c.** Explique a sus alumnos que van a escuchar el testimonio de dos personas que vivieron la catástrofe en directo. Pídales que tomen notas de las informaciones nuevas que les parezcan relevantes. Si lo considera necesario, puede guiar más la actividad ofreciéndoles las tablas de más abajo para completar.

*Solución*
**Audición 1**
*El barco era muy viejo, construido en 1976, y ya había tenido algún accidente anterior, por ejemplo, uno en Italia en 1991. Según los técnicos, no reunía las condiciones necesarias para viajar.*
*El 13 de noviembre se recibió una llamada de socorro del barco y los helicópteros de Pesca de Galicia rescataron a*

*veinticuatro de los veintisiete tripulantes. El capitán y dos técnicos se quedaron a bordo. Al día siguiente, los remolcadores empezaron a llevar el barco mar adentro, lejos de la costa. El día quince desalojaron a los tripulantes que quedaban y el capitán fue arrestado por no haber colaborado en las labores de rescate. El día diecinueve, el barco se partió en dos por los tanques centrales.*

**Audición 2**
- ¿De qué prendas de ropa y herramientas se compone el equipo de los voluntarios?
  *Tienen unos trajes especiales, mascarillas y algunos trabajan también con guantes, pero no hay para todo el mundo. Para limpiar la playa tienen palas.*
- ¿Dónde se alojan?
  *En el pabellón municipal, el de los deportes.*
- ¿Cuál es la actitud de la gente del pueblo?
  *La gente colabora mucho. Se ha volcado con los voluntarios y se encarga de prepararles la comida con lo*

| Testimonio 1: PERIODISTA. Cronología del suceso | |
|---|---|
| FECHA | SUCESO |
| 13 de noviembre | |
| | Remolcadores llevan el barco mar adentro. |
| 15 de noviembre | |
| | Rotura del Prestige frente a la costa. |

| Testimonio 2: VOLUNTARIA. Experiencia del voluntariado |
|---|
| ¿De qué prendas de ropa y herramientas se compone el equipo de los voluntarios? |
| ¿Dónde se alojan? |
| ¿Cuál es la actitud de la gente del pueblo? |
| ¿Qué se puede hacer para mejorar la situación? |

*que traen de sus casas: platos, cubiertos...*
- ¿Qué se puede hacer para mejorar la situación?
*Hay que poner una barrera y parar el fuel.*

**D.** Promueva una charla preguntando a sus estudiantes qué piensan ellos de lo ocurrido y qué les parece la reacción de los voluntarios. Interésese también por su experiencia: pregúnteles si se han visto alguna vez involucrados en un problema de estas características, si han participado alguna vez en un trabajo de prevención o recuperación de una zona devastada, si viven este tipo de catástrofes de forma cercana o qué harían si se produjera una situación así en la región donde viven.

## Y DESPUÉS

Dirija la atención de sus alumnos a los titulares de las crónicas y hágales notar que, si bien en el primer titular el adjetivo aparece tras el sustantivo (**desastre ecológico**), en el segundo caso aparece antepuesto. Explíqueles que, en español, los adjetivos pueden colocarse antes o después del sustantivo, dependiendo del significado, de la función del adjetivo y del registro del discurso al que pertenecen. Refiéralos a la explicación que aparece en el apartado *Colocación de los adjetivos* de la sección CONSULTAR, en la página 25.

Si lo considera conveniente, puede pedirles que busquen ejemplos de las explicaciones en los textos de la página 21. A continuación, invite a sus alumnos a realizar la actividad 7 de la página 119.

## EXPLORAR Y REFLEXIONAR

## 3. ¿JUSTO A TIEMPO?
*Relacionar frases con imágenes para reflexionar sobre el uso de marcadores que sirven para precisar cuándo se realiza una acción. Adquirir recursos para reaccionar ante diferentes situaciones.*

### PROCEDIMIENTOS
**A.** Pida a sus alumnos que observen los dibujos y expliquen qué sucede en cada uno. A continuación, pídales que lean las frases de la derecha y las relacionen con el dibujo correspondiente.

*Solución*
3, 1, 2

**B.** Pregunte a sus alumnos cuál de las tres situaciones anteriores puede suponer un problema y pídales que justifiquen su respuesta. A continuación, dirija la atención de sus alumnos al título de la actividad: **¿Justo a tiempo?** y relaciónelo con las dos situaciones que no representan ningún problema.

*Solución*
La situación descrita en la frase número 2, puesto que, en ella, la persona ha olvidado sus llaves dentro de casa y no podrá usarlas para entrar. En las otras dos, ha estado a punto de olvidarlas pero se ha dado cuenta a tiempo.

Vuelva a leer las frases con sus alumnos y centre su atención en las expresiones marcadas en negrita. Pregúnteles cuál de ellas expresa una relación de simultaneidad entre las acciones **salir de casa** y **no coger las llaves**, cuál expresa una relación de posterioridad y cuál una relación de anterioridad.

*Solución*
1. Simultaneidad   2. Posterioridad   3. Anterioridad

**C.** Explique a sus alumnos que cada una de las frases que aparecen a continuación describe situaciones en relación de simultaneidad, anterioridad y posterioridad. En este momento, sus alumnos ya pueden comprender cuáles de esas situaciones pueden representar un problema y reaccionar adecuadamente ante ellas. Lea la primera frase y asegúrese de que comprenden su significado. Para ello, es posible que en este momento tenga que explicar que **estar a punto de hacer algo** es una expresión que sirve para indicar la inmediatez o la inminencia de una acción. Puede escribir en la pizarra:

**Estaba a punto de poner pimienta** = **Justo iba a poner pimienta**

Pregúnteles entonces si creen que la situación referida en la primera frase supone un problema. Cuando sus alumnos contesten, pregúnteles cómo reaccionarían ante esa situación con una de las expresiones que aparecen en el recuadro verde (En este caso: **¡Menos mal!** o **¡Por suerte!**). Asegúrese de que comprenden el significado de las expresiones y la función que pueden desempeñar, y pídales que realicen la actividad para el resto de situaciones. Tenga en cuenta que puede haber varias opciones correctas para una misma frase.

Puede comentar a sus estudiantes que las expresiones de reacción proporcionadas suelen aparecer combinadas entre sí, con otros elementos como **¿no?**, o con algún comentario relacionado con lo que ha dicho el interlocutor. Por ejemplo, para la frase número 1, una posible respuesta podría ser: **¡Menos mal!, porque Rosa se pone fatal con la pimienta.**

*Solución (sugerencia)*
1. ¡Menos mal!; ¡Justo a tiempo!
2. ¡Qué susto!; ¡Qué rabia!; ¡Qué mal!
3. ¡Qué mal!; Qué disgusto, ¿no?
4. ¡Justo a tiempo!; ¡Menos mal!; (¡Uff!) ¡Por suerte!
5. (¡Uff!) ¡Por suerte!

Refiera a sus alumnos al apartado *Precisar cuándo sucede una acción* de la sección CONSULTAR, en la página 24 y repase con ellos las explicaciones.

Aproveche para explicar que también el Gerundio puede utilizarse para expresar simultaneidad entre acciones y **entonces** para expresar tanto un valor temporal como consecutivo. Refiéralos para ello a los apartados *Usos del gerundio* y *Entonces*, en la misma página.

### Y DESPUÉS

Pida a sus alumnos que piensen en situaciones recientes de su vida cotidiana y escriban dos frases utilizando las estructuras trabajadas en esta actividad. En grupos de tres personas, invítelos a escuchar las situaciones de sus compañeros y a reaccionar con una o varias de las expresiones introducidas en la actividad. Anímelos a añadir toda la información que consideren necesaria para hacer más interesante y ameno el relato de lo ocurrido. Puede empezar usted mismo con la siguiente situación:

- *El otro día, estaba delante de la caja del supermercado con el carrito lleno, cuando me di cuenta de que no llevaba dinero para pagar.*
- *¡Qué rabia!, ¿no? ¿Y qué hiciste?*
- *Pues justo cuando me iba, me encontré a un amigo que me prestó dinero.*
- *¡Uff! ¡Menos mal!*

### MÁS EJERCICIOS
Página 116, ejercicio 1.

## 4. A PARTIR DE ESE MOMENTO
*Leer dos textos y reconocer marcadores para referirse a datos temporales mencionados con anterioridad.*

### PROCEDIMIENTOS
**A.** Explique a sus alumnos que, en un texto narrativo, los sucesos aparecen unidos entre sí a través de marcadores temporales. Dígales que en esta actividad van a centrar su atención en marcadores que se refieren a un momento temporal (fecha u hora) mencionado con anterioridad. Pídales que lean las noticias de dos sucesos y que subrayen ese tipo de expresiones.

### Solución
*Minutos antes, a esas alturas, a partir de ese momento, aquel día, en aquella jornada funesta.*

Recuérdeles que en el apartado *Referencias a momentos ya mencionados* de la sección CONSULTAR, en la página 24, se explican estos marcadores y algunos más.

**B.** Invite a sus alumnos a redactar, por parejas, un texto similar en el que narren un suceso utilizando algunos de los marcadores introducidos. Si no recuerdan ningún suceso, invítelos a utilizar su imaginación e inventar uno propio. Si lo considera conveniente, puede sugerirles los siguientes titulares: **Una ola de cinco metros arrasa la playa;**

**Choque de tres motocicletas en la ciudad; Un tiburón entre los bañistas; Los bomberos rescatan un gato encaramado a un poste eléctrico**, etc.

### MÁS EJERCICIOS
Página 117, ejercicios 4 y 5.

## 5. INTENCIONES
*Reflexionar sobre el uso del Imperfecto o el Indefinido cuando se habla de la causa por la cual una intención no ha llegado a llevarse a cabo.*

### PROCEDIMIENTOS
**A.** Haga notar a sus alumnos que algunas de las expresiones vistas en las actividades anteriores expresan una intención que no llega a cumplirse por ciertas circunstancias o acontecimientos. Es el caso de **iba a salir, justo cuando salía** o **estaba a punto de firmar**.

Explique que ahora van a centrar su atención en esas circunstancias y acontecimientos que impiden la realización de la intención. Pídales que lean las dos frases de la actividad y que intenten distinguir si la causa por la que esa intención no se cumple se presenta como la descripción de una circunstancia (en cuyo caso deberán marcarla con una D) o como un acontecimiento (A).

### Solución
- la Gran Vía estaba cortada: *descripción de la circunstancia*
- se me estropeó el coche: *acontecimiento*

Haga notar a sus alumnos que, cuando la causa se presenta como la descripción de una circunstancia, el tiempo que se suele emplear es el Imperfecto de Indicativo. En cambio, si se presenta como un acontecimiento, se suele emplear el Indefinido.

**B.** Explique a sus alumnos que en los siguientes recuadros se narran situaciones en las que una intención no llegó a cumplirse, pero falta la causa. Pídales que, en parejas, completen las frases imaginando la situación o acontecimiento que impidió que se cumplieran las intenciones.

**C.** Pida a sus alumnos que busquen ahora a un compañero distinto para comparar sus frases y el tiempo verbal empleado (Imperfecto o Indefinido) en cada caso. Al final, haga una puesta en común en clase abierta y asegúrese de que la diferencia en el uso de ambos tiempos verbales queda clara.

### Y DESPUÉS
Puede aprovechar este momento para repasar los usos del Imperfecto que aparecen en el apartado *Usos del Imperfecto*, de la sección CONSULTAR, en la página 24.

**MÁS EJERCICIOS**
Página 116, ejercicio 2.
Página 118, ejercicio 6.

## 6. MENSAJES EN UNA BOTELLA

*Escribir peticiones de envío de objetos necesarios para afrontar unos meses en una isla desierta. Transmitir las peticiones a otros utilizando el discurso referido.*

### ANTES DE EMPEZAR

Pregunte a sus alumnos qué asocian con el título de la actividad: qué es un mensaje en una botella, quién lo suele enviar, qué tipo de mensajes puede contener y si han encontrado uno alguna vez. Es muy probable que a la pregunta sobre quién los suele enviar, sus alumnos respondan algo parecido a **náufragos en una isla**. Si no lo hacen, sugiéralo usted.

### PROCEDIMIENTOS

**A.** Llame la atención de sus alumnos sobre el dibujo y dígales que representa a los concursantes de un programa televisivo llamado *La isla*. En este programa, los concursantes pasan tres meses en una isla y pueden enviar mensajes en los que piden objetos para afrontar su vida allí. Explíqueles que la imagen representa un momento en el que los concursantes ya han recibido los objetos que pedían. Señale el dibujo de la placa solar y llame la atención de sus alumnos sobre la muestra de lengua como ejemplo de petición y la justificación de esta.

Invítelos a trabajar en parejas para redactar tres de las peticiones que pueden haber hecho los concursantes con sus respectivas justificaciones. Recuérdeles que deberán emplear verbos como **mandar**, **traer**, **enviar**…

**B.** Pida a sus alumnos que entreguen el papel que han escrito a otra pareja. A su vez, ellos recibirán el papel de otros compañeros. Deberán contar al resto de la clase lo que han pedido sus compañeros, utilizando el discurso referido.

Pero antes, lea el ejemplo y, si lo considera necesario, anote en la pizarra las dos frases (la petición directa y su transformación en el discurso referido). Haga hincapié en el hecho de que la petición se hizo hace tres semanas, por lo que es necesario que el verbo introductor aparezca en Indefinido, y en la consecuente transformación del tiempo Imperativo en Imperfecto de Subjuntivo.

Igualmente, explique la transformación del verbo **traer** en el verbo **llevar**. Remita a sus alumnos al apartado *Discurso referido* de la sección CONSULTAR, en la página 25.

Pida ahora que realicen la actividad transformando las frases que han recibido y transmitiéndoselas al resto de la clase. Corrija en caso necesario.

**C.** Por último, anime a sus alumnos a imaginar que se encuentran en esa situación y a escribir tres peticiones en una hoja de papel. Pídales que la entreguen a un compañero, quien referirá las peticiones al resto de la clase. Tenga en cuenta que, en este caso, las peticiones se han hecho en un momento mucho más cercano al presente, y que el verbo introductor en el discurso referido aparecerá en Presente o Pretérito Perfecto, con lo que la transformación del verbo en Imperativo deberá ser al Presente de Subjuntivo.

Puede aprovechar para hacer una sistematización como la que le proponemos en la parte inferior de esta página e invitar a sus alumnos a escribir sus peticiones y las de su compañero (usando para estas el discurso referido) en las dos primeras filas. En casa, deberán completar con todas las peticiones en su tiempo verbal correspondiente y ponerlas en común en la siguiente clase.

| | |
|---|---|
| **Petición directa** ➡ | **Traedme una placa solar;** ............................................................ <br> ............................................................ |
| **Transmitimos la petición hoy** ➡ | **Ha pedido que le llevemos una placa solar;** ............................................................ <br> ............................................................ |
| **Transmitimos la petición dentro de tres semanas** ➡ | **Pidió que le lleváramos una placa solar;** ............................................................ <br> ............................................................ |

## PRACTICAR Y COMUNICAR

## 7. ¡QUÉ EXPERIENCIA!

*Escuchar el relato de una experiencia. Relatar un suceso inventado empleando los marcadores temporales adecuados.*

### ANTES DE EMPEZAR

Pida a sus alumnos que miren la fotografía y hágales preguntas como: **¿habéis visto alguna vez una maratón? ¿Habéis participado en alguna? ¿Cómo fue?** etc.

### PROCEDIMIENTOS

**A.** Explique a sus alumnos que van a escuchar a Natalia contando a un amigo su experiencia en la última maratón que corrió. Pídales, primero, que centren su atención en la pregunta de la actividad: **¿guadará un buen recuerdo de la experiencia?** Si lo considera conveniente, puede pedirles que vuelvan a escuchar la conversación pero, esta vez, con el objetivo de anotar todos los problemas que, según Natalia, causó la mala organización de la maratón.

*Solución*
*Natalia no guardará un buen recuerdo a causa de estos problemas: la organización esperaba 5 000 participantes y acudieron 10 000; no les dieron botellas de agua; al final se formó un tapón y los corredores no podían avanzar; muchas personas se desmayaron por el cansancio, el calor y la deshidratación; las ambulancias no podían llegar para atender a los afectados.*

**B.** Explique a sus alumnos que una técnica utilizada en los talleres de escritura creativa es la de combinar elementos aparentemente inconexos para crear una historia, y que este es el objetivo de la siguiente actividad. Pida a sus alumnos que, en grupos de cuatro personas, escojan cinco de los elementos que aparecen en las cajas de color naranja para crear una historia que los relacione. Explíqueles el procedimiento: un compañero empezará diciendo una frase en la que debe aparecer uno de los elementos. Otro compañero continuará la historia introduciendo otro elemento, y así sucesivamente. Un miembro del grupo se encargará de escribir la historia según la vayan creando.

Recuérdeles que se trata de elaborar un texto narrativo y que, por tanto necesitarán utilizar marcadores temporales para relacionar los acontecimientos entre sí. Llame su atención sobre los que aparecen en el recuadro amarillo y recuérdeles que a lo largo de la unidad han visto algunos más. Si lo considera conveniente, puede aprovechar para hacer un repaso general de los marcadores temporales introducidos en la unidad.

Al final, pida a cada grupo que escoja a un portavoz que cuente su historia al resto de la clase. En este momento, céntrese en el contenido de la historia y en el uso de los marcadores. No haga una corrección detallada de aspectos léxicos o gramaticales, a menos que sea muy ecesario, para no entorpecer la comunicación.

### Y DESPUÉS

Cuando hayan finalizado, promueva una corrección cruzada entre todos los alumnos: pida a los grupos que intercambien sus historias y que corrijan los errores más importantes del texto de otro grupo. Pida a cada grupo que explique su corrección al otro grupo para favorecer una reflexión conjunta. Durante todo el proceso, paséese por la clase para solucionar las posibles dudas que puedan surgir. Si lo considera conveniente, puede pedirles los textos y llevárselos para proceder a su corrección.

## 8. EVENTOS

*Elaborar una crónica, relatarla oralmente y escribirla.*

### ANTES DE EMPEZAR

Lance el título de la actividad, **Eventos**, y pregunte a sus alumnos qué acontecimientos pueden recibir este nombre; empiece dando algún ejemplo si es necesario.

### PROCEDIMIENTOS

**A.** Pregunte a sus alumnos si recuerdan algún evento, es decir, un acontecimiento importante, al que hayan asistido y por qué lo hicieron. Explíqueles que van a relatarlo como una crónica. Para prepar su relato, pueden hacer un esquema a partir del recuadro que aparece en la actividad.

**B.** Ahora, anime a los alumnos a relatar la crónica de su evento a un compañero, quien podrá interrumpirlo para hacer comentarios o preguntas y obtener información adicional; así la crónica será lo más completa posible.

### Y DESPUÉS

Como tarea para casa, puede animar a sus alumnos a escribir la crónica del evento que acaban de relatar oralmente. Recuérdeles que pueden hacer uso de todos los recursos que han aprendido hasta ahora.

### MÁS EJERCICIOS

Página 119, ejercicio 9.

## 9. DECLARACIONES

*Inventar las declaraciones de los protagonistas de una jornada caótica en el aeropuerto (pasajeros, controladores aéreos, etc.). Incorporar las declaraciones a una crónica que describa esa jornada.*

### ANTES DE EMPEZAR

Pregunte a sus alumnos si han sufrido alguna vez un retraso en un aeropuerto. En caso afirmativo, pregúnteles a qué se debió, si hubo protestas, cuál era la actitud de los pasajeros y del personal de aeropuerto, etc. Si no han vivido una experiencia de este tipo, pregúnteles si recuerdan alguna noticia al respecto.

## PROCEDIMIENTOS

**A.** Explique a sus alumnos la situación descrita en la actividad y pídales que observen el dibujo. A continuación, deberán encontrar en el dibujo a los colectivos que aparecen en el recuadro verde y escribir al lado de cada uno el número correspondiente. Si tienen problemas para comprender el significado de alguna expresión, anímelos a ayudarse mediante definiciones o descripciones.

### *Solución*
*Pilotos: 8, auxiliares de vuelo: 5, personal de limpieza: 3, pasajeros: 7, controladores aéreos: 1, mozos de pista: 4, personal de tierra: 6, camareros: 9, periodistas: 2.*

**B.** Explique a sus alumnos que los dos textos que aparecen en el apartado **B** explican las declaraciones efectuadas por algunas de las personas que aparecen en el dibujo. Pídales que las lean e intenten averiguar a qué colectivos corresponden.

### *Solución*
*Los* **pasajeros** *se quedaron incomunicados...*
*Los* **auxiliares de vuelo** *insistieron en que...*

Llame la atención de sus alumnos sobre los verbos que introducen las declaraciones de los pasajeros y de los auxiliares de vuelo (**exigieron** e **insistieron**). Hágales notar que estos verbos sustituyen al verbo **decir**: por un lado, evitan su repetición; por otro lado, son mucho más precisos y aportan nuevos matices de significado.

Pregúnteles qué otros verbos pueden cumplir esta función y remítalos al último párrafo del apartado *Discurso referido* de la sección CONSULTAR, en la página 25, donde podrán encontrar más verbos que introducen el discurso referido.

**C.** Pida ahora a sus alumnos que, en parejas, escriban cinco textos en un papel tomando como modelo los textos del apartado **B**. Explíqueles que no deben escribir el nombre del colectivo que efectúa las declaraciones, ya que serán los miembros de otra pareja quienes deberán intentar averiguar quién las ha efectuado.

**D.** A partir de las declaraciones anteriores, los alumnos deben elaborar una crónica de lo sucedido en el aeropuerto que debe comenzar como se propone en la muestra de lengua. Recuérdeles que deben utilizar los verbos que sirven para introducir las palabras de otras personas (el discurso referido).

## MÁS EJERCICIOS
Página 119, ejercicio 8.

# 10. EXCURSIONISTAS PERDIDOS
*Escribir la crónica de un suceso a partir del titular de una noticia y de los testimonios de dos personas implicadas en él.*

 **OBSERVACIONES PREVIAS**
En esta actividad los alumnos elaborarán un "producto" que pueden incluir en su Portfolio.

## ANTES DE EMPEZAR
Pida a sus alumnos que, individualmente o en grupos de tres, se fijen en las fotografías de la página 28. Deles dos minutos para escribir todo aquello que asocien con las imágenes (pueden ser palabras relacionadas con el tema, expresiones o frases hechas, recuerdos de experiencias propias, etc.). Haga una puesta en común en clase abierta. Si lo considera conveniente, puede repetir la actividad, pero esta vez invitando a sus alumnos a utilizar el diccionario y a no repetir ninguna de las palabras que han aparecido en la primera ronda.

## PROCEDIMIENTOS
**A.** Recuerde a sus alumnos que la tarea final de esta unidad consiste en escribir la crónica de un suceso y explíqueles que van a hacerlo a partir de las informaciones que obtengan de los apartados **A** y **B**. Para empezar, pídales que lean el titular del periódico para responder a las preguntas que aparecen debajo. Invítelos a que comenten sus respuestas en grupos de tres. Recuérdeles que pueden usar el diccionario si lo creen necesario. Al final, haga una puesta en común en clase abierta.

**B.** Explique a sus alumnos que, a continuación, van a escuchar el testimonio de dos personas implicadas en el suceso. Deberán contestar a las preguntas que se formulan en el recuadro verde y tomar notas de la información más relevante que desean incluir en la crónica. Si lo considera necesario, haga una segunda audición.

### *Solución*
- ¿Qué ocurrió? *Tres excursionistas se perdieron en Los Andes y encontraron huellas enormes de un animal desconocido en la nieve.*
- ¿Cuándo? *El día anterior, por la tarde.*
- ¿Por qué? *Por las malas condiciones meteorológicas.*
- ¿En qué circunstancias? *El viento era muy fuerte y los excursionistas estaban cansados y sin fuerzas para seguir. El estado de la nieve era muy malo y uno del grupo se torció el tobillo. Además, no se veía nada y se escucharon ruidos muy extraños, como de un animal.*

**C.** Pida a sus alumnos que comparen sus notas con las de sus compañeros de grupo y seleccionen la información que desean incluir en la crónica. Llame su atención sobre las sugerencias del recuadro y recuérdeles que también deberán inventar un final para el suceso. Indíqueles, por último, que la crónica debe tener una extensión de unas diez o quince líneas.

# MÁS CULTURA

## 1. PREMIOS PRÍNCIPE DE ASTURIAS

*Leer información sobre algunos galardonados con el Premio Príncipe de Asturias y preparar una presentación sobre una persona premiada.*

### OBSERVACIONES PREVIAS

La propuesta del apartado **C**, así como la siguiente actividad, requieren que los alumnos hagan una búsqueda de información, por lo que le recomendamos planificar estas sesiones teniéndolo en cuenta, tanto si dispone de conexión a internet en el aula o en al centro, como si tiene que pedir a los estudiantes que realicen la tarea de investigación fuera del horario de clase.

### PROCEDIMIENTOS

**A.** Pregunte a sus alumnos si conocen algún certamen que premie a figuras internacionales del campo de la cultura, si hay alguno en su país y si recuerdan a alguna de las personas premiadas.

Explique que uno de los certámenes españoles de mayor prestigio internacional son los Premios Príncipe de Asturias, que llevan el nombre del heredero de la corona española y reconocen la labor de personas que, en sus distintas disciplinas, han hecho alguna aportación de interés universal. Explíqueles que se otorgan premios en ocho categorías diferentes y anímelos a formular hipótesis con un compañero acerca de las posibles categorías de este premio.

Después, puede decir cuáles son: Comunicación y Humanidades, Ciencias sociales, Artes, Letras, Investigación científica y técnica, Cooperación internacional, Concordia y Deportes. Haga una puesta en común en clase abierta y pregúnteles si añadirían o suprimirían alguna.

**B.** A continuación invite a sus alumnos a leer el texto y a buscar, entre los premiados, a alguno conocido por ellos. Pídales que, en grupos de tres personas, compartan todo lo que saben acerca del premiado que escojan y discutan sobre su idoneidad para el premio. Luego puede hacer una puesta en común.

Si lo desea, puede pedirles que, en los mismos grupos, piensen en personas a quienes ellos otorgarían el premio en cada una de las categorías. Después, haga una puesta en común y escriba en la pizarra las respuestas que le vayan dando los diferentes grupos en una tabla (intente que, entre todo el grupo, se mencione al menos a una persona por categoría).

**C.** Proponga a sus alumnos que escojan uno de los galardonados reales o sugeridos por ellos y preparen una presentación en clase para el resto de sus compañeros. Si desean recabar información, pueden visitar la página web de la Fundación Príncipe de Asturias (**www.fpa.es**), donde encontrarán una ficha de todos los premiados. Si hay varias personas interesadas en el mismo galardonado, permita que trabajen juntas.

## 2. MALINCHE

*Leer un fragmento de la novela* Malinche, *de Laura Esquivel, e informarse sobre ella.*

### ANTES DE EMPEZAR

Pregunte a sus alumnos si conocen a algún personaje famoso de la historia latinoamericana y anímelos a contar al resto de la clase lo que saben de él. Si nadie la menciona, pregunte si han oído hablar de Malinche y explíqueles que era una mujer indígena que trabajó como intérprete durante la época de la conquista española de América. No se extienda en la explicación para que los alumnos puedan investigar por su cuenta en el apartado **B**.

### PROCEDIMIENTOS

**A.** Explique a sus alumnos que el texto que aparece a continuación está extraído de la novela *Malinche*, de Laura Esquivel, en la que se cuenta la historia de esta mujer. Pídales que lo lean para contestar las siguientes preguntas: **¿cómo definirías los sentimientos de Malinche? ¿A qué información del texto hace referencia la ilustración que acompaña el texto?** Haga una puesta en común.

Si sus alumnos están interesados, anímelos a leer la información sobre Laura Esquivel que aparece en la columna de la derecha.

**B.** Por último, proponga a sus alumnos que investiguen acerca de Malinche y ofrézcales las preguntas del libro como pauta de su búsqueda de información. Si dispone de acceso a internet en su centro, sus alumnos pueden llevar a cabo la investigación en el tiempo de clase. Si no, anímelos a realizarla después y a traer los resultados a clase en la próxima sesión.

*Solución*

*La figura de Malinche es controvertida: de ella se han hecho lecturas positivas y negativas. Por un lado, y este sería el especto positivo, se la considera la primera traductora e intérprete entre las lenguas nativas náhuatl y maya al castellano. Se dice que sus intervenciones defendían siempre la negociación antes que la guerra. Otra lectura positiva la considera la madre del México moderno, al haber tenido ella misma hijos mestizos. La lectura negativa de su figura la acusa de colaborar con los conquistadores en detrimento de su propio pueblo.*

*La palabra **malinchismo** se utiliza para designar la preferencia de lo extranjero frente a lo nacional y, especialmente, el deseo de identificarse con lo extranjero antes que con lo mexicano.*

Se relaciona a Malinche con la leyenda de La Llorona: según esta leyenda, cuando la Ciudad de México fue fundada y habitada se solían escuchar los llantos y gritos angustiosos de una mujer a altas horas de la noche, e incluso se divisaba su fantasma. Se dice que era una mujer indígena, enamorada de un caballero español o criollo con quien tenía tres niños pero que, sin embargo, no formalizaba su relación: solo se limitaba a visitarla y evitaba el compromiso de casarse con ella. Tiempo después, el hombre se casó con una mujer española de la sociedad, ya que resultaba un enlace más conveniente. Al enterarse de ello, la Llorona enloqueció de dolor y ahogó a sus tres hijos en el río. Cuando volvió en sí y se dio cuenta de lo que había hecho, se quitó la vida. Desde entonces pena cerca del río donde murieron sus hijos; allí se puede escuchar su lamento: "¡Ay, mis hijos!".

# 3 ¿Y TÚ QUÉ OPINAS?

Muestre la imagen a sus estudiantes y pregunte si reconocen esta ciudad (Benidorm). Escuche lo que puedan saber sobre ella y, si es necesario, infórmelos de que se trata de uno de los destinos turísticos más importantes de la costa mediterránea. Pregunte si les gustan los lugares muy turísticos o más tranquilos, y si elegirían Benidorm para pasar sus vacaciones. Luego, llame la atención de sus alumnos sobre la cuestión urbanística, y pregunte por su opinión sobre la construcción masiva en zonas costeras. ¿Les parece un problema?

Finalmente, informe a sus estudiantes de los contenidos de la unidad y de la tarea final: celebrar una asamblea popular.

## COMPRENDER

### 1. VIVIR CON O SIN PRISAS
*Valorar a qué tipo de personas van dirigidos una serie de anuncios y opinar sobre ellos.*

#### PROCEDIMIENTOS
**A.** Pregunte a sus estudiantes si creen que viven con o sin prisas. Puede preguntarles: **¿cuántas actividades realizáis durante el día? ¿Os gustaría tener más tiempo para hacer algunas cosas? ¿Cuáles?** Pídales que, individualmente, hagan una lista de las cosas que les gustaría hacer y no hacen porque no tienen tiempo, o de las cosas a las que les gustaría dedicar más tiempo. Cuando hayan terminado, pídales que, en parejas, comparen sus respectivas listas. El objetivo es que cada uno observe qué ritmo de vida lleva, tranquilo o más bien acelerado.

**B.** A continuación muestre los diferentes anuncios que aparecen. Pregunte a sus estudiantes: **¿dónde podemos encontrar estos anuncios? ¿Qué creéis que anuncian?** Pídales que los lean individualmente y que decidan si creen que van dirigidos a personas con un ritmo de vida tranquilo o acelerado y por qué. Cuando hayan terminado, haga una puesta en común.

**C.** Pregunte a sus estudiantes si hay algún anuncio que les ha llamado especialmente la atención y por qué. A continuación, dígales que van a leer una serie de opiniones relacionadas con los anuncios. Proponga que las lean individualmente y que marquen si están o no de acuerdo con ellas. Luego, en grupos de tres, tienen que contrastar sus opiniones.

### 2. RITMOS DE VIDA
*Leer una entrevista para resumírsela a un compañero. Encontrar tres ideas que aparecen en los textos en las que los dos estén de acuerdo y formular argumentos para reforzarlas.*

#### ANTES DE EMPEZAR
Pregunte a sus estudiantes: **¿qué prototipo de persona que lleva una vida acelerada os imagináis? ¿Y de persona que lleva una vida tranquila? ¿Qué actividades podrían caracterizar a cada una?** Para el primer tipo, un ejemplo sería el ejecutivo que trabaja muchas horas fuera de casa, siempre come en restaurantes, viaja a menudo, está acostumbrado a dormir en hoteles, pasa poco tiempo con la familia o dispone de poco tiempo para el ocio. Para una vida tranquila, es de esperar que se refieran a personas que tienen como prioridad su bienestar y su salud, que vigilan lo que comen, la actividad física que realizan, se ocupan de estar en contacto con la naturaleza y de gozar de un ambiente relajado y armonioso en casa.

#### PROCEDIMIENTOS
**A.** Muestre a sus estudiantes las dos entrevistas y explíqueles que se trata de dos autores. Cada uno ha escrito un libro sobre el ritmo de vida y cómo emplear el tiempo libre, pero con dos puntos de vista muy diferentes. Diga a sus estudiantes que van a trabajar en parejas, pero que primero van a leer un artículo diferente cada uno de forma individual. Tienen que tomar notas de las ideas principales porque luego tendrán que explicárselas a su compañero.

**B.** Ponga a las parejas juntas y pídales que hagan un resumen de las ideas principales que aparecen en la entrevista para su compañero.

**C.** Cuando hayan terminado, dígales que tienen que encontrar tres ideas en cada una de las entrevistas con las que estén de acuerdo los dos y que piensen argumentos para reforzarlas y ampliarlas. Haga una puesta en común en clase abierta para recoger las diferentes opciones.

#### MÁS EJERCICIOS
Página 120, ejercicio 1.

## EXPLORAR Y REFLEXIONAR

### 3. OPINIONES
*Reflexionar sobre la diferencia entre la expresión de la opinión, la negación de una opinión y la valoración. Observar qué modo verbal utilizamos para cada caso.*

#### OBSERVACIONES PREVIAS
En esta actividad se trata la opinión. Puede serle de utilidad realizar la diferenciación entre los exponentes de opinión, los de negación de una opinión u opinión negativa y los de valoración. Para ello se le propone una actividad en el apartado **B**, previa a la que propone el libro, que consiste en que los estudiantes clasifiquen dichas expresiones. Debe asegurarse de que se fijan únicamente en las expresiones en negrita (los exponentes), puesto que las frases enteras siempre son una opinión que conlleva la valoración de un hecho.

#### ANTES DE EMPEZAR
Pregunte a sus estudiantes con qué autor de la actividad 2 **A** se identifican más. Pregúnteles si consideran que alguno de los autores es demasiado idealista. Asegúrese de que entienden qué significa **idealista** y pida que lo que lo definan o que lo ilustren con algún ejemplo de alguien que conocen. Pregunte cuál sería el término opuesto, y acepte sus opciones siempre que las justifiquen.

#### PROCEDIMIENTOS
**A.** Presente a los dos personajes mostrando las fotos y

explique que Cristóbal es muy idealista, romántico y de talante positivo, y Mauricio es muy realista, práctico y de talante crítico. Dígales que en cada par de frases se han recogido sus opiniones sobre diferentes temas. En primer lugar, tienen que leerlas y definir qué temas tratan. Pueden leerlas individualmente y hacer luego una puesta en común.

*Solución*
*1. Los jóvenes; cómo son actualmente.*
*2. La calidad del sistema educativo.*
*3. Los medios de comunicación; la calidad de la televisión en particular.*
*4. Las restricciones de tráfico en las ciudades.*
*5. El fútbol y el dinero que mueve este deporte.*
*6. Los impuestos y cómo repercuten en los ciudadanos.*

En segundo lugar, tienen que identificar a quién corresponde cada una de las frases y escribir en cada casilla la inicial del sus nombres: C, en las de Cristóbal, y M en las de Mauricio.

*Solución*

| 1. C | 2. C | 3. M | 4. C | 5. M | 6. M |
|------|------|------|------|------|------|
| M    | M    | C    | M    | C    | C    |

Después de corregir, puede preguntar a sus estudiantes con quién se identifican más y por qué.

**B.** Pida a sus estudiantes que, en parejas, diferencien cuáles de los exponentes marcados en negrita sirven para expresar una opinión, cuáles para negar una opinión y cuáles para valorar.

*Solución*
Opinión: *lo que yo creo es que; es evidente que; a mí me parece que.*
Negación de una opinión: *no creo que; no es cierto que; a mí no me parece que.*
Valoración: *me parece muy bien; me parece fatal; es un escándalo; es fabuloso; es una ruina; me parece perfecto.*

Asegúrese que entienden la diferencia y anímelos a aportar más exponentes que conozcan, tanto de opinión como de valoración. Ponga algún ejemplo:

Opinión: **creo que**, **está claro que**, **considero que**, etc.
Valoración: **me parece mal**, **estupendo**, **terrible**, etc.

A continuación, pida que discutan con su compañero cuándo usamos Indicativo, Subjuntivo o Infinitivo. Después de que expongan sus conclusiones, puede escribir en la pizarra un esquema que refleje que la opinión va con Indicativo, la negación de una opinión en Subjuntivo y la valoración puede ir en Infinitivo o Subjuntivo.

Ahora, puede sugerirles que se centren en los exponentes que han clasificado como valoraciones al empezar el apartado **B** y traten de explicar por qué el Infinitivo y el Subjuntivo se usan de esta forma. Una vez lo hayan

comentado y hecho hipótesis, puede remitirlos a los esquemas y ejemplos que aparecen en los dos primeros apartados de la sección CONSULTAR, en la página 34, para que vean que, cuando se usa el Infinitivo, la persona que valora se incluye en la situación valorada, en cambio, el uso del Subjuntivo indica que se valora una situación que afecta a otros. Deben comprender claramente la pauta de que, si hay sujetos diferentes, el Infinitivo no se puede usar y se debe usar en su lugar el Subjuntivo en una oración introducida por **que**.

**C.** Ahora puede preguntar a sus estudiantes: **¿qué tal es la ciudad donde estáis estudiando español? ¿Os gusta? ¿Hay algunas cosas que no os gustan?** Remítalos a los exponentes que aparecen en la actividad y pídales que los completen con su opinión. Realice, por último, una puesta en común. Puede llevarla a cabo en pequeños grupos en los que cada uno leerá una de las frases que ha escrito y los demás reaccionarán diciendo si están de acuerdo o no. Esto le servirá para ver qué formas utilizan para mostrar acuerdo o desacuerdo, lo que se tratará en la actividad 6. Así pues, puede ir tomando nota de sus reacciones para recuperarlas en dicha actividad.

**MÁS EJERCICIOS**
Página 120, ejercicio 2.

# 4. ¿NEGOCIAMOS?
*Escuchar una conversación entre trabajadores. Observar los recursos utilizados para tomar el turno de palabra.*

## ANTES DE EMPEZAR
Pregunte a sus estudiantes si están familiarizados con el tipo de horarios y jornadas laborales que hay: horario partido (con una pausa larga para comer), horario intensivo (se trabaja de manera continuada), horario flexible (con libertad para elegir el horario), media jornada (se trabaja la mitad del tiempo estipulado en el convenio laboral)... Pregúnteles qué tipo de horario prefieren y por qué.

## PROCEDIMIENTOS
**A.** Explique a sus estudiantes que van a escuchar a unos trabajadores de una empresa que discuten sobre una propuesta para cambiar el tipo de horario. Actualmente tienen un horario partido, pero contemplan la posibilidad de trabajar con un horario flexible. Si no ha salido antes, pregúnteles si saben en qué consisten los dos tipos de horario y haga las aclaraciones que sean necesarias.

Diga que van a escuchar una vez y que tienen que decidir cuál es la postura de la mayoría y qué ventajas e inconvenientes encuentran a cada opción. Ponga la audición una vez y después pida que comparen lo que han escrito con un compañero, sobre todo, los argumentos. Proponga una segunda escucha para terminar de completar la tarea. Haga una puesta en común que servirá de corrección.

## Solución

Entre las interpretaciones que se pueden extraer de la convesación, estas dos parecen ser las mayoritarias:

*1) La mayoría está de acuerdo con la propuesta del horario flexible, siempre que coincidan todos los trabajadores durante unas horas.*
*2) Inicialmente parece que la mayoría está de acuerdo con la propuesta del horario flexible, pero al final algunos no lo ven claro, ya que creen que varios empleados se aprovecharían de la situación.*

Ventajas:     *se trabaja la misma cantidad de horas, pero uno puede organizarse a su manera, según sus necesidades, y sacar mayor rendimiento a su tiempo.*

Inconvenientes: *que no coincidan los trabajadores, que algunos no hagan las horas que deben hacer, que la falta de control impida una buena organización en el trabajo.*

**B.** A continuación, diga a sus estudiantes que van a escuchar otra vez la conversación y que esta vez deberán detectar los recursos que usan los interlocutores para intervenir en la conversación.

Si le parece conveniente, proporcióneles fotocopias de la transcripción de la conversación que encontrará en la página siguiente, con espacios en blanco en el lugar de los marcadores y organizadores, y pídales que la lean. Pregúnteles si pueden seguir la conversación; es de esperar que no tengan problemas para comprender las opiniones y posturas que van surgiendo.

Después, anuncie que escucharán la conversación y que deberán tomar nota de lo que falta en la transcripción. Tras una primera audición, permita que comparen en parejas lo que han escrito. Si fuera necesario, pase la grabación una segunda vez. Lleve a cabo luego una corrección en clase abierta de manera que queden claras todas las palabras que faltaban.

Invítelos, por último, a reflexionar sobre el sentido en la conversación de las diferentes expresiones que han anotado en la hoja y a intentar explicarlo con sus propias palabras (pida que digan si sirven para expresar acuerdo, desacuerdo o duda, para matizar, para hacer una propuesta...). Puede indicarles que todas ellas sirven para cohesionar la discusión: tienen en cuenta lo dicho por el interlocutor y nos posicionan con respecto a ello.

Antes de pasar a la propuesta de Y DESPUÉS, remita a sus alumnos a la sección CONSULTAR, en las páginas 34 y 35.

## Y DESPUÉS

Puede proponer una actividad en la que deberán prestar

argumentos a favor o en contra de una serie de propuestas de ámbito social. En primer lugar, por parejas, van a elegir una de las propuestas de la hoja que usted les habrá repartido (puede fotocopiar el cuadro de más abajo) y decidirán cuál de los dos miembros va a sostener argumentos a favor y cuál en contra. En segundo lugar, individualmente, pensarán un mínimo de cinco argumentos durante unos minutos.

---

### Propuesta 1
Una asociación quiere sacar al mercado un periódico gratuito, de ámbito local, en el que haya noticias cercanas a la gente de la zona. Se tratará de un periódico alternativo, en el que todos puedan dar su opinión. Tienen la intención de pedir una subvención al Ayuntamiento para cubrir una parte de los gastos de producción.

### Propuesta 2
Una empresa de construcción propone realizar un complejo alejado de un centro urbano. El proyecto consiste en ofrecer una zona residencial con casas unifamiliares con piscina y un campo de golf. Se tratará de un espacio para relajarse y disfrutar de un ambiente tranquilo y exclusivo.

### Propuesta 3
El Ayuntamiento de un pueblo bastante aislado del Pirineo se plantea la construcción de diferentes vías para mejorar la accesibilidad de la zona. El proyecto plantea, en primer lugar, la explotación de la carretera que ya existente para convertirla en autovía y, en segundo lugar, hacer llegar el tren, lo que requerirá obras de gran envergadura.

---

Finalmente, empezarán la defensa de su postura, teniendo en cuenta que tendrán que hablar una vez cada uno, y que deberán usar alguna de las expresiones vistas a lo largo de la actividad 4. Si no pueden rebatir el argumento de su compañero con alguno de los que tenían pensados, deberán ser capaces de improvisar. En el caso de que no se les ocurran argumentos, puede darles estas ideas para cada situación:

1. A favor: **es bueno que un pueblo tenga un periódico local en el que la gente pueda encontrar anuncios de trabajo y noticias que sean de su interés y utilidad.**
En contra: **si el periódico necesita de una subvención del Ayuntamiento no va a ser tan alternativo como pretende: va a estar atado a los intereses del partido que esté en el Ayuntamiento.**

2. A favor: **hay mucha gente que quiere un tipo de vida así, y van a ubicar el proyecto lejos del pueblo para no**

## 4. ¿Negociamos? Apartado A.

● [_____] le veo muchas ventajas a eso del horario flexible. Total, trabajas las mismas horas a la semana, pero te puedes organizar mejor tus horarios y...

○ [_____] y según tus necesidades personales: los horarios del colegio de los niños o si estás haciendo un curso de algo...

● [_____] y al final seguro que le sacas más rendimiento a todo tu tiempo.

■ [_____] a mí lo que me preocupa es la organización en el trabajo. Esto va a ser un lío si cada uno viene a la hora que quiere, pues nunca vas a saber con quién puedes contar. Y muchas cosas se tienen que decidir en equipo, ¿no?

○ [_____] podemos organizarnos entre todos. Y además, es que tenemos que ponernos todos de acuerdo porque si no, no va a ser posible. No van a hacer unos horario flexible y otros no. Eso sí que sería un caos.

❑ [_____] tengo una propuesta, a ver qué os parece. Y es que podríamos negociar entre todos una franja horaria en la que todos coincidiéramos, que nos fuera bien a todos quiero decir. Yo, así, sí que aceptaría la propuesta de horario flexible.

○ [_____] podríamos hablarlo, digo yo. Otra cosa que se me ocurre es negociar unos días concretos en que todos estemos aquí para coordinación y consultas.

● [_____]

▲ [_____] Miren, flexibilidad solo en el horario de entrada y de salida. Si en vez de entrar a las nueve alguien entra a las once, pues luego sale dos horas más tarde, pero por lo menos coincidiríamos parte de la mañana o parte de la tarde todos juntos.

■ [_____] en ese caso estaría de acuerdo.

❑ [_____] yo también.

○ [_____] Es que no va a haber control... Yo creo que va a haber personas que van a aprovechar para hacer menos horas de las que hacen. ¿Quién se va a poner a controlar el rato que ha trabajado cada uno?

■ [_____] Si hay gente que llega tarde ahora, que se va a tomar café cuando quiere... Uf, si además tiene horario flexible, ¡no veas!

○ [_____] ahí quería yo llegar. Es que encima es esa gente la que pide el horario flexible. Yo no lo veo nada claro.

■ [_____]

## 4. ¿Negociamos? Apartado A.

*Solución*

● *Hombre, yo le veo muchas ventajas a eso del horario flexible. Total, trabajas las mismas horas a la semana, pero te puedes organizar mejor tus horarios y...*

○ *Es verdad, y según tus necesidades personales: los horarios del colegio de los niños o si estás haciendo un curso de algo...*

● *Claro, y al final seguro que le sacas más rendimiento a todo tu tiempo.*

■ *Ya, eso sí. Pero a mí lo que me preocupa es la organización en el trabajo. Esto va a ser un lío si cada uno viene a la hora que quiere, pues nunca vas a saber con quién puedes contar. Y muchas cosas se tienen que decidir en equipo, ¿no?*

○ *Bueno, podemos organizarnos entre todos. Y además, es que tenemos que ponernos todos de acuerdo porque si no, no va a ser posible. No van a hacer unos horario flexible y otros no. Eso sí que sería un caos.*

❑ *A ver, un momento, yo tengo una propuesta, a ver qué os parece. Y es que podríamos negociar entre todos una franja horaria en la que todos coincidiéramos, que nos fuera bien a todos quiero decir. Yo, así, sí que aceptaría la propuesta de horario flexible.*

○ *Eso podríamos hablarlo, digo yo. Otra cosa que se me ocurre es negociar unos días concretos en que todos estemos aquí para coordinación y consultas.*

● *Sí, podría ser, pero...*

▲ *Yo quería proponer algo. Miren, flexibilidad solo en el horario de entrada y de salida. Si en vez de entrar a las nueve alguien entra a las once, pues luego sale dos horas más tarde, pero por lo menos coincidiríamos parte de la mañana o parte de la tarde todos juntos.*

■ *Hombre, yo en ese caso estaría de acuerdo.*

❑ *Sí, sí, sí, yo también.*

○ *Pues yo no lo veo claro. Es que no va a haber control... Yo creo que va a haber personas que van a aprovechar para hacer menos horas de las que hacen. ¿Quién se va a poner a controlar el rato que ha trabajado cada uno?*

■ *Ya. Eso es cierto. Si hay gente que llega tarde ahora, que se va a tomar café cuando quiere... Uf, si además tiene horario flexible, ¡no veas!*

○ *Claro, ahí quería yo llegar. Es que encima es esa gente la que pide el horario flexible. Yo no lo veo nada claro.*

■ *¡Ni yo!*

perturbar su estética.

En contra: **el sur de España es una zona muy seca, si quieren instalar un campo de golf van a provocar problemas de agua al pueblo cercano.**

3. A favor: **es necesario estar bien comunicado, sobre todo para que llegue más turismo y la gente que vive en el pueblo se pueda ganar mejor la vida.**

En contra: **si se realizan esas obras el pueblo va a perder su encanto. Las comunicaciones han sido suficientes para sus habitantes hasta hoy y esto no tiene por qué cambiar.**

Un ejemplo de la actividad oral podría ser:

- Yo creo que es una buena idea porque en un pueblo es muy necesario un periódico en el que se puedan encontrar empleos y noticias locales, ¿no?, lo que realmente interesa a la gente, ¿Qué te parece?
- Sí, eso sí, pero si necesitan una subvención del Ayuntamiento es posible que no sea tan alternativo, que tengan presión para divulgar un tipo de informaciones y no otras.
- Pues yo no lo veo como tú...

## MÁS EJERCICIOS

Página 122, ejercicio 5.
Página 123, ejercicio 6.

## 5. CON CONDICIONES

*Leer una serie de condiciones y observar las estructuras que aparecen.*

### ANTES DE EMPEZAR

Asegúrese que sus estudiantes saben qué significa **convenio** ('acuerdo vinculante entre los representantes de los trabajadores y los empresarios de un sector o empresa determinados, que regula las condiciones laborales').

Pregunte a sus estudiantes: **¿qué condiciones de trabajo no aceptaríais nunca?** Espere respuestas como: **no aceptaría trabajar horas extras fuera de mi horario y no cobrarlas**, o **no aceptaría un puesto de trabajo con muchas responsabilidades para ganar un sueldo que no se ajusta a lo pactado.** Pregunte también: **¿cuáles creéis que son las condiciones mínimas que debe ofrecer una empresa?** Puede esperar respuestas como: **unas buenas infraestructuras, un trato agradable y respetuoso, un sueldo competitivo**, etc.

### PROCEDIMIENTOS

**A.** Explíqueles que una empresa está realizando cambios importantes, por lo que se van a renegociar las condiciones laborales. Muestre la foto de la sala de reuniones y comente que, después de una larga negociación entre el comité de trabajadores y la empresa, el comité ha realizado una lista de condiciones. Pídales que la lean y que elijan la

condición que les parece más importante a ellos. Después de comentarlo en clase abierta, pida que se fijen en las cuatro primeras frases. Explique que hay unos conectores simples y otros complejos. Tienen que decidir cuáles son simples (**solo si/si**) y cuáles son complejos (**siempre que/a condición de que/a no ser que**) y con qué tiempo verbal va cada uno (los simples, en Presente de Indicativo y los complejos, en Presente de Subjuntivo). Pídales que lo piensen individualmente y que comenten con un compañero su resultado antes de ponerlo en común en clase abierta.

A continuación, pida que se fijen en la última frase. Pregunte: **¿el conector, que aparece, es simple o complejo?** (Complejo); **¿qué modo verbal lo acompaña?** (Subjuntivo). En este caso, la condición se expresa en Imperfecto de Subjuntivo y la consecuencia en Condicional (puede hacer referencia a la mayor improbabilidad expresada mediante esta construcción). Explique que estos tiempos verbales se mantienen incluso cuando el conector de condición es simple. Puede sistematizar el uso de los condicionales de esta forma:

### Primer Condicional

| Futuro | + | conector simple | + | Presente de Indicativo |
| Futuro | + | conector complejo | + | Presente de Subjuntivo |

### Segundo Condicional

| Condicional | + | conector (simple/complejo) | + | Imperfecto de Subjuntivo |

**B.** A continuación pida a sus estudiantes que relacionen las frases que aparecen con sus posibles finales para comprobar que entienden el uso de estos conectores.

### Solución

*Haremos guardias de noche → si nos pagan un suplemento.*

*Haremos guardias de noche siempre que → nos paguen un suplemento.*

*Haríamos guardias de noche solo en el caso de que → nos pagaran un suplemento de noche*

*Asistiremos al congreso solo si → nos cubren todos los gastos.*

*Asistiríamos al congreo si → nos cubrieran todos los gastos.*

*No asistiremos al congreso a no ser que → nos cubran todos los gastos.*

### MÁS EJERCICIOS

Página 121, ejercicios 3 y 4.

## 3

# 6. EN ESO NO ESTOY DE ACUERDO
*Reaccionar mostrando acuerdo o desacuerdo.*

## ANTES DE EMPEZAR
Lea a sus estudiantes el título de la actividad y pida que den algún ejemplo de uso de esa expresión. Pida que digan otras expresiones para mostrar acuerdo y desacuerdo.

A continuación pregunte si recuerdan para qué sirve la palabra **eso**, que ya se había visto en la actividad 4. Una vez haya comentado que se refiere a algo que se ha dicho antes, pida que se fijen en las expresiones del recuadro que llevan también esa palabra, más las que ellos habrán dicho, y que identifiquen las que muestran acuerdo y las que muestran desacuerdo. Deje que discutan en parejas y póngalo en común.

## PROCEDIMIENTOS
**A.** Explique que van a tener que trabajar en parejas. Cada miembro de la pareja va a leer una de las opiniones que aparecen en la actividad, que tratan temas diversos. El compañero deberá reaccionar con una de las fórmulas vistas y añadir su opinión y argumentación. Asegúrese de que las fórmulas que utilizan son adecuadas al contexto.

**B.** Ahora indíqueles que pueden añadir dos opiniones más sobre temas que no aparecen en la actividad anterior y que les parezcan importantes. Deje unos minutos para que las piensen y las anoten. De esta forma, los estudiantes aportarán opiniones propias sobre temas que les interesen. Si algún estudiante no sabe qué decir puede ofrecerle ideas como estas: **Las compañías aéreas actuales, que son tan baratas, tienen estos precios a costa de las** malas condiciones de trabajo de los empleados o de las malas condiciones de los aviones; / **Me parece fatal que en España cada vez que tienes que comprar un medicamento tengas que comprar la caja entera, es un gasto innecesario;** / **Los precios actuales de los pisos llegan a más de la mitad de los sueldos, es intolerable;** / **Es increíble que todavía haya tantas diferencias sociales y que siga existiendo el tercer mundo;** / **Yo creo que deberíamos trabajar menos horas y tener más vacaciones, aunque cobráramos menos dinero: lo primero es estar tranquilo y vivir bien;** etc.

Cuando las hayan escrito, explique que van a hacer lo mismo que en la actividad anterior: leérselas a un compañero, que deberá reaccionar con su propia opinión. Recuérdeles que pueden usar los diferentes elementos tratados para argumentar.

## PRACTICAR Y COMUNICAR

# 7. DEFENDER OPINIONES
*Reaccionar ante varias opiniones.*

## OBSERVACIONES PREVIAS
Puede realizar esta actividad con el material fotocopiable que le proporcionamos en esta página; son tarjetas para recortar y repartir entre los grupos de tres o cuatro personas que se habrán formado.

| | | |
|---|---|---|
| La piratería es un delito, deberíamos comprar todo original. | Deberíamos impulsar el teletrabajo; perdemos un montón de horas y de energía desplazándonos al lugar de trabajo. | Los videojuegos son cada vez más violentos, habría que prohibirlos. |
| Deberían subir el precio del agua, la gente no la valora. Seguro que consumiríamos mucha menos. | Estaría bien que hubiera más redes de intercambio, de ropa, de libros, de CD, etc. | Habría que recuperar la idea del esperanto, una lengua común para todos haría la convivencia mucho más fácil. |
| La expropiación de las casas que están más de un año sin ser habitadas debería ser obligatoria para que las usen otras personas. | La tele tendría que tener siempre un fin didáctico y cultural. ¡Es que la ven muchas personas! | |

## ANTES DE EMPEZAR

Diga a sus estudiantes que van a leer una serie de opiniones relacionadas con diferentes temas. Pídales que, sin leer los textos, observen las fotografías y formulen hipótesis sobre qué temas se van a tratar.

Después puede sacar los temas nuevos que aparecen en las tarjetas. Anímelos a que piensen en uno que les motive y que escriban, en una tarjeta en blanco, una afirmación contundente entorno a él, por ejemplo: **Todas las jornadas laborales deberían ser de seis horas como máximo; Deberían prohibir la telebasura, como todos los programas que hacen basados en la vida privada de las personas; Se debería prohibir el uso del coche en las ciudades;** etc.

## PROCEDIMIENTOS

Explique a sus estudiantes que van a trabajar en grupos de cuatro. Uno de cada grupo va a expresar una de las opiniones que aparecen en las tarjetas y los demás tienen que reaccionar mostrando acuerdo o desacuerdo. Dígales que hay una condición: no vale repetir el tipo de respuesta. Ponga un ejemplo o remítalos al ejemplo que aparece en la actividad. Cuando hayan terminado con las tarjetas que les ha dado usted, pueden hacer lo mismo con la tarjeta que ha escrito cada uno de ellos.

# 8. SOLO SI ME LO CUIDAS

*Dejar objetos a los compañeros poniendo condiciones.*

## OBSERVACIONES PREVIAS

Puede comentar a sus estudiantes que las condiciones en este tipo de contextos también pueden ir introducidas por **pero** sin que sea necesaria la presencia de partículas condicionales. Ponga el siguiente ejemplo:

- ¿Me dejas tu chaqueta azul para el jueves? Es que tengo una cena de empresa y no tengo nada elegante que ponerme.
○ Vale, pero la llevas a la tintorería antes de devolvérmela, ¿sí?
  **(= con la condición de que la lleves a la tintorería antes de devolvérmela)**
- Sí, claro, no hay ningún problema.

## PROCEDIMIENTOS

Proponga a sus estudiantes que elijan dos cosas a las que tengan un aprecio especial. Puede poner un ejemplo suyo. Cuando ya las tengan, usted puede recogerlas en la pizarra o ellos mismos pueden hacer un dibujo de cada objeto en un papel y colocarlo en algún lugar visible de la clase. A continuación cada estudiante debe elegir un objeto y pedírselo a su propietario. Este se lo dejará, pero debe ponerle condiciones (pueden ser condiciones muy difíciles de cumplir). Anímelos a que justifiquen sus peticiones (recuérdeles el uso de **es que**).

# 9. TURISMO ANTIPRISAS

*Leer un texto sobre una asociación que fomenta el turismo antiprisas. Opinar sobre esta iniciativa.*

## PROCEDIMIENTOS

**A.** Centre la atención de sus estudiantes en el turismo que promueve una vida más tranquila. Retomando las ideas tratadas al principio de la unidad, proponga a sus estudiantes que comenten en pequeños grupos, o entre todos, si conocen algún movimiento similar a este (que opte por una vida más tranquila), y cuáles son sus propuestas o características. Puede tratar de guiarles para que salgan los temas que después se tratarán en el texto.

**B.** Explique a sus estudiantes que hay una asociación llamada Cittaslow que fomenta el turismo sin prisas. Diga que van a leer un folleto de esta asociación y que tienen que decir si les parece una buena idea, si les gustaría que su pueblo o ciudad formara parte de esa asociación y por qué. Cuando hayan terminado, puede proponer que formen grupos de tres y compartan sus ideas para ver si coinciden o tienen opiniones muy diversas.

# 10. UN PUEBLO TRANQUILO

*Leer una noticia sobre un pueblo que quiere adscribirse a una asociación de turismo tranquilo. Escuchar información sobre la asamblea que se celebrará y tomar notas.*

## ANTES DE EMPEZAR

Muestre a sus estudiantes la foto y explique que el pueblo se llama Roquedal de la Costa y que quiere adscribirse a una organización que se llama Tranquitur, el primer movimiento español *antiprisas*. Remítalos a la entradilla de la noticia (aclare todos los datos son imaginarios).

## PROCEDIMIENTOS

**A.** Anime a sus estudiantes a leer la noticia y a comentar si les gustaría pasar unas vacaciones en un pueblo como ese. Si lo considera oportuno, puede pedirles que se posicionen: **¿prefieres un pueblo como Roquedal o una ciudad como la de la portadilla (Benidorm)?**

**B.** Ahora explique que el pueblo todavía no ha decidido si va a adscribirse a la iniciativa y que, para ello, se ha organizado una asamblea. Van a escuchar una audición tomada de la radio local que informa sobre esta asamblea. Infórmeles de que tienen que contestar a una serie de preguntas sobre el tema.

### *Solución*

¿Cuándo se celebrará? *El jueves 30 de marzo*
¿Quiénes asistirán? *Los vecinos*
¿Cuáles son los dos grupos más enfrentados? ¿Qué argumentos exponen?
*Los grupos enfrentados son: a) Asociación Amigos de Roquedal, presidida por Teresa Pardo, que está a favor de*

adscribirse porque creen que será rentable para el pueblo: van a ofrecer un producto diferente, lo que los hará más competitivos con respecto a otros pueblos.
b) Grupo encabezado por Cosme García, que está en contra porque considera que el pueblo no progresará y se quedará viviendo anclado en el pasado, a diferencia de los pueblos vecinos.

Deje que escuchen la audición una vez y que comparen sus respuestas con las del compañero. Después, vuelva a poner la audición antes de poner en común los resultados.

## 11. LA ASAMBLEA
*Celebrar una asamblea popular y elaborar el acta de la misma.*

### OBSERVACIONES PREVIAS
En esta actividad los alumnos van a elaborar un "producto" que pueden incluir en su Portfolio.

Antes de comenzar, informe a sus estudiantes de cuál es el objetivo: realizar una asamblea y escribir el acta. Para ello, asegúrese de que comprenden el significado de **acta**, y muéstreles el modelo de acta que se le facilita en la página siguiente y que luego deberán completar. Diga que en el apartado **orden del día** debe figurar una descripción del funcionamiento del debate entorno al tema, una descripción de los acuerdos a los que se ha llegado y el resultado de la votación.

### PROCEDIMIENTOS
**A.** Para empezar, presente la lista de las diferentes personas que viven en el pueblo y que han asistido a la asamblea. Muestre el dibujo de la asamblea y la persona que la dirige. Remítales al folleto que dicha persona tiene en las manos, y explique que se trata del folleto informativo repartido al comienzo de la asamblea, que los estudiantes pueden leer en el recuadro. En este folleto se detallan las condiciones obligatorias y las recomendaciones para ser un pueblo asociado a Tranquitur.

Diga que tendrán que trabajar en parejas estas cuestiones: **¿quiénes creen que se posicionarán a favor y quiénes en contra? ¿Quiénes estarán indecisos? ¿Por qué?** Recuérdeles que tienen que tener en cuenta el folleto y la profesión de cada personaje. Haga una puesta en común para recoger los resultados.

**B.** Ahora, pida a cada estudiante que elija a uno de los personajes, hasta que todos queden asignados. Si en su clase hay menos estudiantes que personajes, pida que cada uno elija el mismo número de los que están a favor y los que están en contra. Si hay más estudiantes que personajes, pueden repetir las características de algún personaje cambiándole el nombre. Cuando ya hayan decidido, pida que se agrupen según los que están a favor, en contra e indecisos. Cada grupo preparará argumentos

para defender su postura.

**C.** A continuación, diga que van a celebrar la asamblea. Para ello, puede disponer las sillas en círculo. Diga que deberán votar a estas preguntas: **¿Roquedal va a ser un pueblo tranquilo? En caso de adscribiros, ¿qué recomendaciones cumpliréis?**

**D.** Finalmente pídales que redacten el acta de la asamblea en grupos, para después redactar una conjuntamente con los fragmentos que más les gusten de cada una de ellas. Entregue el modelo de acta para que la completen. Para terminar, cada grupo lee su acta y entre todos elaboran una que tenga fragmentos de todas ellas y con la que estén todos de acuerdo. La pueden firmar y colgar en la clase.

## MÁS CULTURA

## 1. TIPOS DE TURISMO
*Leer dos textos sobre dos opciones de turismo diferentes y decidir cuál elegirían.*

### ANTES DE EMPEZAR
Pida que comenten entre todos qué tipos de turismo conocen y cuáles son sus características (por ejemplo, **turismo sin prisas**, **turismo de aventuras**, **turismo de relax**, **turismo rural**, etc.).

### PROCEDIMIENTOS
A continuación, indique que van a leer dos textos sobre dos tipos de turismo. Tienen que leer cada texto y decidir cuál elegirían y por qué. Cuando hayan terminado pida que lo comenten en parejas o en grupos, que justifiquen su elección y, si han practicado alguno de estos tipos de turismo, que cuenten cómo fue su experiencia.

### Y DESPUÉS
Si están interesados en alguna de las propuestas o en otras que no se haya dicho, puede animarlos a busar información sobre ellas en internet y a compartirla con sus compañeros.

## 2. DIARIOS DE MOTOCICLETA
*Leer unos fragmentos de Diarios de motocicleta y buscar información sobre Ernesto "Che" Guevara.*

### OBSERVACIONES PREVIAS
Si dispone de un ejemplar del libro que aquí se presenta, o de fotos o material relacionado con el Che sería interesante llevarlo al aula. El objetivo es que contrasten la imagen del Che que aquí se presenta con la imagen más difundida y ampliamente conocida.

## ANTES DE EMPEZAR

Puede mostrarles la portada del libro que aparece y preguntar si saben quién era el Che. El objetivo es que salga el máximo de información posible de dicho personaje. Finalmente, y si no lo han comentado los estudiantes, explique que realizó un viaje a través de Latinoamérica que le cambió la vida.

## PROCEDIMIENTOS

**A.** Pregunte a sus estudiantes si han realizado alguna vez un viaje que haya cambiado su vida o su manera de ver las cosas. Recuérdeles que no tiene por qué ser a un lugar muy lejano: lo importante son la experiencia y las vivencias. Pida que piensen individualmente cómo lo van a explicar. Si, durante este tiempo algún estudiante demuestra no haber tenido una experiencia de estas características, dígale que elija el viaje que más le ha cautivado de los que ha hecho. El objetivo es motivarlos para que todos encuentren una experiencia de la que hablar.

A continuación, pida que lo comenten en grupos o parejas para ver si se identifican con las experiencias de los compañeros, aunque hayan ocurrido en lugares diferentes.

**B.** Pregunte a sus estudiantes si suelen realizar un diario cuando viajan. Introduzca el diario del Che y muestre los diferentes fragmentos seleccionados. Indique que van a leerlo individualmente para contestar a las preguntas: **¿cómo afectaron a su manera de ver las cosas las experiencias de las que habla? ¿Qué cosas crees que aprendió?**

Después, deje que comenten sus respuestas con la pareja y vaya comprobando que han comprendido el texto. Para acabar, puede trabajar en clase abierta los aspectos del texto que no hayan quedado claros.

**C.** Ahora pida que, en grupos, busquen información sobre el Che en internet. Tienen que responder a las siguientes preguntas: **¿sabes cómo era antes de que lo cambiara el viaje del que habla?¿Qué relación ves entre los fragmentos anteriores y algunas de las cosas que hizo en su vida?** Dé un tiempo para que busquen información y traten de contestar.

Finalmente, recoja en clase abierta las conclusiones a las que han llegado incitando a que los diferentes grupos interactúen entre sí, o formando nuevos grupos.

## Y DESPUÉS

Proponga a sus estudiantes ver la película inspirada en el libro, dirigida por Walter Salles y producida por Robert Redford en 2004. El personaje del Che lo interpreta el actor mexicano Gael García Bernal.

---

### ACTA DE LA ASAMBLEA DE VECINOS

Relación de asistentes: ................................................................................................................................
........................................................................................................................................................................
........................................................................................................................................................................

En la población de ..............., siendo las ...... horas del día ....... de ................. de ..........., se reúnen en asamblea los señores y las señoras relacionados más arriba, bajo la presidencia de D./Dña. .............................................., actuando como secretario/a D./Dña. .............................................

El ORDEN DEL DÍA previsto se desarrolló de la siguiente manera:

1. La adscripción a la asociación Tranquitur.

........................................................................................................................................................................
........................................................................................................................................................................
........................................................................................................................................................................
........................................................................................................................................................................
........................................................................................................................................................................

Y no habiendo más asuntos que tratar, leídos los acuerdos tomados, firman los asistentes y se levanta la sesión, siendo las.......... horas.

..........................., de..................., de 20......

# SE VALORARÁ LA EXPERIENCIA

Muestre la foto de la página 39 y pregunte a sus alumnos dónde creen que están esas dos personas y por qué están ahí. Acepte todas las respuestas justificadas, aunque probablemente la mayoría harán referencia al ámbito laboral (están en una empresa o en una agencia para realizar una entrevista de trabajo). Muestre interés por la experiencia de sus estudiantes en este tipo de situaciones. Después de recoger varias opciones, remítalos al título de la unidad y pregunte qué significa y dónde se puede encontrar esta expresión (en un anuncio de trabajo).

Finalmente, presente los objetivos de la unidad y la tarea final: establecer las condiciones de una convocatoria.

## COMPRENDER

## 1. UNA EXPOSICIÓN
*Leer una noticia sobre la inauguración de un museo. Escuchar una conversación entre dos personas que hablan sobre la noticia. Expresar la propia opinión.*

### OBSERVACIONES PREVIAS
Si le parece conveniente, puede llevar a clase un mapa de España para que sus estudiantes sitúen la ciudad de León, en la que se encuentra el MUSAC.

### ANTES DE EMPEZAR
Antes de empezar, muestre el texto que van a leer y la foto que aparece del MUSAC. Pregunte si les gusta el edificio y si conocen algún otro museo que sea especialmente original en su construcción (como el Museo Guggenheim de Bilbao).

Finalmente, puede preguntarles si les gusta el arte, si suelen visitar museos y qué tipo de museos o de arte les gustan.

### PROCEDIMIENTOS
**A.** Indique que el texto es una noticia que habla de la inauguración del museo (muéstreles la fuente y la fecha para situarla). Si le parece conveniente, puede proponer a los estudiantes las siguientes preguntas para que busquen en el texto ciertas informaciones:

1. ¿Qué tipo de arte se expone en el museo?
2. ¿Cuál ha sido la inversión total para este museo?
3. ¿Qué relación hay entre la catedral de León y el MUSAC?
4. ¿Qué es *Emergencias*?

Deles unos minutos y realice una puesta en común.

*Solución:*
1. *Arte contemporáneo y vanguardista.*
2. *Se han invertido 33 millones de euros para la construcción del edificio y 2 millones de euros anuales desde 2002 hasta la inauguración (2005). El total aproximado sería, pues, de 39 millones de euros.*
3. *Los colores de la fachada del MUSAC están inspirados en una vidriera de la catedral de León.*
4. *El título de la exposición que inaugura el MUSAC.*

Una vez hayan corregido la tarea puede preguntar a sus estudiantes si les gustaría visitar el MUSAC y por qué. Pregúnteles también si en sus ciudades o regiones existen museos de este tipo.

**B.** A continuación explique que van a escuchar cómo un chico y una chica que viven en León comentan la noticia. Indique que deben marcar en el mismo artículo de qué aspectos hablan, y qué opiniones tienen esas personas respecto a los temas que tratan.

Ponga una primera audición y, antes de ponerla por segunda vez, deje que comparen sus respuestas.

*Solución*
Temas de los que hablan:
*1) El dinero invertido en la construcción del museo.*
*2) El diseño arquitectónico del edificio.*
*3) Del arte, de si a la gente le gusta el arte moderno.*

Opiniones:
*El chico opina que es demasiado dinero para un museo, que debería invertirse en otras cosas más útiles: transportes, bibliotecas, etc. No le gusta el edificio y cree que el arte moderno no se entiende, que por eso a la gente no le gusta.*
*La chica opina que el dinero está bien invertido, puesto que el museo atraerá más turismo a la ciudad. A ella le gusta el edificio y cree que a la gente sí le gusta el arte, ya que cada año los muesos reciben más visitas.*

**C.** Pida a sus estudiantes que opinen en grupos acerca de los temas de la conversación que acaban de escuchar. Indique que deben argumentar sus opiniones y que pueden hacer referencia a sus propios países o localidades. Si lo cree conveniente, puede hacer una puesta en común de las diversas opiniones.

## 2. DOS COMISARIAS
*Leer una entrevista a dos comisarias de exposicioines. Resumir diferentes temas que se tratan en ella.*

### ANTES DE EMPEZAR
Pregunte a sus estudiantes si saben qué significa **comisario/a**. Si sus respuestas no hacen referencia a su uso en relación con el mundo del arte, introdúzcalo usted. Pregunte cuál creen que es la función de un comisario en una exposición. Deje que hagan hipótesis pero no dé la solución, ya que la obtendrán a partir de la lectura.

### PROCEDIMIENTOS
**A.** Explique que van a leer una entrevista realizada a dos comisarias de exposiciones y que tendrán que resumir cuál es la función de estas personas en la organización de una exposición. Puede especificar que la entrevista se realizó con motivo de la 51ª Bienal de Venecia, pero que ellas también hablan de su profesión en general. Muestre la entrevista e indique a quiénes hacen referencia las iniciales en cada intervención.

Una vez hayan terminado la lectura, pida que respondan a la pregunta **¿cuál es la función de un comisario de exposiciones?** Deje que comparen sus respuestas en parejas y compruebe que son correctas. Finalmente, puede preguntar si su respuesta coincide con lo que ellos habían dicho antes de leer la entrevista y si han descubierto otras funciones asociadas a esta profesión.

## 4

## Solución

*La función de un comisario es la de buscar a los artistas adecuados para participar en una exposición según el requerimiento realizado por los organizadores de la misma. Una vez seleccionados los artistas idóneos, según su criterio, tratan de buscar la forma de que la obra aparezca con la mayor coherencia para ser comprendida por el espectador. Esto se realiza en colaboración con el artista o, en el caso de que este haya muerto, contando con la opinión de aquellos que conocían bien a la persona y su obra. (4ª intervención de R. M. y 2ª intervención de M.de C.)*

**B.** A continuación pregunte a sus alumnos si les gusta el arte contemporáneo y por qué. Indique que en la entrevista se comentan varias cuestiones más o menos polémicas relacionadas con el arte. Deben localizarlas en el texto y resumir qué se dice al respecto.

Para la realización de esta actividad pueden trabajar en parejas. Remítalos a los cuatro temas que se indican en el libro, que les servirán de guía. Cuando terminen pueden comentar cuál es su opinión al respecto.

## Solución

- Los temas y las preocupaciones de los que trata el arte: *preocupaciones actuales como la violencia, los atentados terroristas, los desastres naturales, etc. (1ª intervención de M. de C.)*
- Cómo debe ser el mensaje de la obra de arte: *no debe ser de fácil lectura, es mejor que encierre un potencial que posibilite varias lecturas, lo que también requiere un esfuerzo de reflexión que hace que la obra sea más perdurable. (3ª intervención de R. M.)*
- Cómo deben ser los museos: *deben adaptarse a una visión actual y, por lo tanto, a la forma de interpretar el arte hoy. (2ª intervención de M. de C.)*
- Los formatos y materiales utilizados para hacer obras de arte: *los formatos de siempre más los nuevos materiales que proporcionan los medios tecnológicos: fotografía, vídeo, etc. (Últimas intervenciones de ambas comisarias).*

## MÁS EJERCICIOS
Página 125, ejercicio 4.

## Y DESPUÉS
Siguiendo el ejemplo del ejercicio 4 de la sección MÁS EJERCICIOS, puede proponer que busquen en la entrevista más expresiones formadas a partir de la combinación de un verbo y un nombre o un grupo nominal (**recibir un encargo**; **sacar lo mejor de alguien; entrar en contacto con**...; **pedir la opinión de alguien, llegar a una conclusión**, etc.).

Cuando las hayan localizado, puede pedir que, en parejas, elaboren un mapa conceptual en el que sitúen cada verbo en el centro de un círculo diferente y que piensen en otras combinaciones posibles, por ejemplo: **recibir un encargo/ una noticia/un premio/una llamada**, etc. Vaya ayudando a las parejas: haga las aclaraciones pertinentes si saliera

alguna combinación que en español, aunque posible, no fuese la más adecuada o la de uso más frecuente, por ejemplo: **recibir un sueldo ➡ cobrar un sueldo**. Finalmente, otorgue A y B a cada miembro de cada pareja y forme dos grupos en la clase, los A y los B, para que comparen y amplíen las opciones que han salido.

## EXPLORAR Y REFLEXIONAR

## 3. CANDIDATOS
*Leer una convocatoria de empleo de una empresa española. Analizar el uso del Pretérito Perfecto de Subjuntivo que aparece en ella y contrastarlo con el uso de Presente de Subjuntivo.*

### ANTES DE EMPEZAR
Pregunte qué significa **convocatoria** y pida que den algunos ejemplos del contenido que puede tener una convocatoria (requisitos, bases, material que hay que aportar...). Esto le servirá para ver si comparten el mismo concepto y sondear qué lenguaje utilizan para dar los ejemplos.

A continuación, puede preguntar qué tipos de convocatoria conocen (de empleo, concursos, etc.) y, respecto a las convocatorias de empleo, de qué distintas formas pueden aparecer: publicadas internamente por una empresa, solo para sus empleados; de carácter público, para cubrir puestos en la Administración; aparecidas en periódicos u otros medios y abiertas a todo el mundo, etc.

Si lo considera pertinente puede relacionar esta actividad con la anterior, y preguntar qué condiciones creen que figuran en una convocatoria para un puesto de comisario o comisaria. Pueden comentarlo de forma general en clase abierta. Si le interesa explotarlo más, podrían hacer una lista de los requisitos en parejas y guardarla para, después de trabajar las actividades 3 y 4, retomarla y corregirla una vez vistos estos contenidos.

### PROCEDIMIENTOS
**A.** Introduzca la convocatoria que realiza una empresa española de telecomunicaciones para llevar a cabo un intercambio con una empresa rusa. Deje que ellos expliquen en qué consiste un intercambio o a qué suele referirse esta palabra en el contexto del mundo laboral.

A continuación, muestre los fragmentos de la convocatoria y presente a los dos personajes: Paula García y Roberto Casado. Explique que Paula ha pasado la selección y Roberto no, e indique que deben averiguar por qué leyendo la convocatoria y los perfiles de los dos personajes. Deje que comparen sus respuestas por parejas.

**Solución**

*Paula ha pasado la selección porque puede demostrar un nivel medio (B2) en ruso y Roberto no, y este nivel de ruso es un un requisito indispensable. El hecho de que Roberto haya participado en proyectos internacionales y Paula no, no le da ninguna ventaja al primero, ya que no se trata de un requisito indispensable.*

Cuando corrija la actividad, asegúrese de que entienden lo que son requisitos (condiciones indispensables) y lo que son características que les dan preferencia, pero que no son obligatorias para presentarse al puesto. Pida que marquen las frases que expresan una condición obligatoria o una acción que deben realizar obligatoriamente (frases 2, 3 y 5) y que busquen en ellas las palabras que nos indican que se trata de condiciones indispensables (**deberá**, **únicamente**, **exclusivamente**).

A continuación, remítalos a la página 45 de la sección CONSULTAR (*Expresar condiciones indispensables*) para ver otros ejemplos y expresiones.

**B.** Ahora vuelva a la convocatoria e indique que, para poder responder, también han tenido que comprender el uso del Pretérito Perfecto de Subjuntivo y del Presente de Subjuntivo. Pida que los localicen en la convocatoria y que en parejas reflexionen sobre cuál es la diferencia entre ambos.

Haga una puesta en común donde se recoja el uso de cada uno: el Pretérito Perfecto de Subjuntivo se refiere a una acción terminada, mientras que el Presente de Subjuntivo se refiere al presente. Por ejemplo: **personas que no hayan trabajado fuera de España** (en el pasado) / **personas que no trabajen fuera de España** (en la actualidad).

A continuación escriba en la pizarra:

> **Para poder presentarse al programa, los candidatos tienen que <u>tener</u> entre 30 y 45 años y no <u>haber trabajado</u> nunca fuera de España.**

Pregunte si significa lo mismo que la primera condición de la convocatoria. Una vez visto que sí, pregunte por qué en este caso no está en Pretérito Perfecto de Subjuntivo sino en Infinitivo (Compuesto). Deje que lo miren en parejas antes de poner la respuesta en común. Es de esperar que le digan que aparece la construcción **tener que**, que obliga a usar el Infinitivo.

A continuación, señale que aparecen un Infinitivo Simple y uno Compuesto, y pregunte por la diferencia de uso entre estos dos tiempos. Los estudiantes deben explicar que se trata de la misma diferencia que han visto antes entre el Presente y el Pretérito Perfecto de Subjuntivo. Añada que el Infinitivo Compuesto tiene el mismo uso que el Pretérito Perfecto de Subjuntivo, pero que se utiliza con oraciones que requieren Infinitivo como, por ejemplo, las que contienen expresiones de obligación o necesidad: **deber/tener que/ser obligatorio/necesario/recomendable**, etc. + Infinitivo.

Remítalos al apartado *El Infinitivo Compuesto*, de la sección CONSULTAR, en la página 44, para que vean la sistematización de la forma (**haber** + Participio) y diferentes ejemplos de uso.

**C.** A continuación, muestre las tres convocatorias que aparecen en este apartado, y explique que no solo se trata de convocatorias de empleo, sino también de convocatorias de concursos y becas de estudios. Indique que van a poner en práctica lo que acaban de ver con una actividad similar a la del apartado **A**.

En este caso, solamente tienen dos ítems por convocatoria e información referente a la experiencia de dos personas. Tienen que decidir quién puede presentarse a la convocatoria y quién no. Deje que lo hagan individualmente y que luego lo comparen con un compañero para que dispongan de su tiempo para pensar. Haga una puesta en común para recoger las soluciones y pida que justifiquen sus respuestas.

**Solución**

1. Pedro    NO  / Lidia      SÍ
2. Sara     NO  / Mercedes   SÍ
3. Diego    SÍ  / Gonzalo    SÍ
4. Carlota  SÍ  / Álex       NO
5. Javier   SÍ  / Sol        NO
6. Ana      SÍ  / Esteban    NO

Después, puede pedirles que se fijen en las diferentes formas de referirse a las personas a las que va dirigida la convocatoria (**aquellas personas**, **quienes**, **los estudiantes**, **los candidatos**) y pasar a comentar el apartado *Uso de pronombres relativos* de la sección CONSULTAR, en la página 45.

### MÁS EJERCICIOS
Página 124, ejercicios 1 y 2.

## 4. DIFERENTES FORMAS DE DECIR LO MISMO
*Diferenciar los fragmentos de un anuncio de los de una conversación. Escuchar la conversación y reflexionar entre las diferencias de registro.*

### ANTES DE EMPEZAR
Remita a sus alumnos al anuncio que aparece en la página 43 (explique que se trata de un fragmento). Pregunte qué es un animador turístico, cuál es su función, si alguien lo es o lo ha sido y qué requisitos creen que se necesitan para poder ejercer esa profesión. Pregunte también por el tipo de trabajo y las fechas en las que se suele llevar a cabo.

Las respuestas deberían hacer referencia a la organización y realización de actividades lúdicas para divertir a los turistas (clases de baile, talleres, concursos, etc.) y, debido a su relación con el turismo, al hecho de que suele ser un trabajo de temporada de verano. Los requisitos pueden ser: saber idiomas, tener un carácter abierto y sociable, ser activo y tener conocimientos para el desarrollo de diferentes actividades.

## PROCEDIMIENTOS

**A.** Diga a sus estudiantes que el chico y la chica de la fotografía están comentando el anuncio. Explique que van a leer cinco pares de frases y que cada par se refiere a la misma información, pero en un caso se trata de un fragmento del anuncio y en otro, de lo que le cuenta la chica a su amigo.

En primer lugar, tienen que leer los cinco pares de frases y comprobar si lo que se requiere para la plaza de animador turístico coincide con lo que ellos habían anticipado. Deje que lo lean individualmente y haga una puesta en común.

En segundo lugar, tienen que decidir qué frase corresponde a cada tipo de discurso: al anuncio o a la conversación entre los amigos. Pueden realizar la actividad de manera individual para, luego, comparar y discutir su decisión con un compañero (no importa si no se ponen de acuerdo, ya que después lo podrán comprobar).

**B.** A continuación, diga que van a escuchar la conversación entre los dos amigos para comprobar ellos mismos si sus respuestas eran correctas. Deje que lo escuchen una vez y comparen los resultados entre ellos.

*Solución*
*1. anuncio*
*2. conversación*
*3. conversación*
*4. anuncio*
*5. anuncio*
*6. conversación*
*7. conversación*
*8. anuncio*
*9. anuncio*
*10. conversación*

Si le parece conveniente, pueden escuchar de nuevo la conversación para determinar si alguno de los chicos se va a presentar a la convocatoria (los dos van a presentarse).

**C.** Una vez corregida la actividad anterior, pida que se fijen en las expresiones destacadas en el apartado **A** y pregunte qué diferencias observan. Deje que lo discutan en parejas y, por último, realice una puesta en común.

*Solución*

| **Anuncio** | **Conversación** |
|---|---|
| -*Fórmulas relativas cultas* (**aquellas personas que, quienes**) | -*Construcciones de relativo simples* (**los que**) |
| -*Léxico culto* (**será requisito indispensable,** | -*Léxico neutro* (**solo pueden presentarse**) |
| | -*Uso de la 2ª persona del singular* (**tienes que**) |

*considerar méritos*)
-*Uso de la voz pasiva* (**serán seleccionados, serán admitidas, serán considerados**)

y de la 3ª del plural (**te dan**) en lugar de construcciones impersonales

## Y DESPUÉS

Proponga a sus estudiantes el siguiente par de frases que podrían aparecer en una convocatoria para una beca. Pídales que las adapten a un registro más coloquial. Puede proporcionarles diccionarios para que resuelvan sus dudas de vocabulario.

> **La beca va dirigida a todas aquellas personas que estén en posesión de una licenciatura en Filología.**
>
> **Serán tenidos en cuenta todos los méritos que los candidatos deseen hacer constar.**

Acepte las diferentes versiones de sus estudiantes siempre que respondan al sentido original de las frases.

*Solución (sugerencia)*
*La beca es para los que han estudiado Filología.*
*Van a tener en cuenta los méritos que quieras presentar.*

## MÁS EJERCICIOS
Página 124, ejercicio 3.
Página 126, ejercicio 5.

## PRACTICAR Y COMUNICAR

## 5. INTERCAMBIOS
*Establecer los criterios para seleccionar a las personas que participarán en un intercambio de idiomas.*

### ANTES DE EMPEZAR
Recuerde a sus estudiantes el apartado **A** de la actividad 3, en el que se hacía referencia a un intercambio laboral entre empresas. Pida que den ejemplos de otros tipos de intercambio. Admita las varias opciones que puedan aparecer, siempre que estén justificadas, hasta que salga el intercambio de idiomas.

Pregunte a sus estudiantes si han hecho alguna vez un intercambio de este tipo, si les gustó, si les resultó positivo y por qué. Pídales que comenten las diferencias entre realizar un intercambio y asistir a clases de español.

## PROCEDIMIENTOS

**A.** A continuación, diga que imaginen que van a realizar un intercambio con hablantes nativos de español. Explique que la entidad que organiza estos intercambios es una agencia que está en contacto con diferentes escuelas de idiomas y que intenta adaptar las características de las personas a las necesidades o exigencias de los estudiantes.

Anime, pues, a sus alumnos a decidir cuáles deben ser esas características. Forme grupos pequeños y pídales que tengan en cuenta aspectos como la personalidad, el tipo de experiencias, sus capacidades, las tareas que deberán cumplir, etc. Pueden añadir otros que consideren importantes aunque no aparezcan en el libro (edad, sexo, estudios, aficiones...). Hágales saber que pueden ser muy estrictos en sus exigencias.

**B.** Indique que deben redactar su solicitud para poder enviarla a la agencia, que la colgará en su página web. Muestre los tipos de expresiones que pueden utilizar para que el registro final sea formal.

## Y DESPUÉS

Si han salido diferentes listas, proponga que lean las de los compañeros y decidan si les gusta más el tipo de personas de otro grupo.

Si en su escuela o lugar de trabajo existe un blog, podrían colgar las condiciones en el blog. Y si tiene la oportunidad, se podría organizar un intercambio con un grupo de nativos de habla española.

## MÁS EJERCICIOS

Página 126, ejercicio 6.
Página 127, ejercicio 7.

# 6. IMÁGENES DEL ESPAÑOL

*Reflexionar sobre las características que deben tener las fotografías que aparecen en los materiales de español y compararlas con las bases de un concurso. Realizar la selección de fotos.*

## PROCEDIMIENTOS

**A.** Pregunte a sus estudiantes si se han fijado alguna vez en las fotos que aparecen en los libros de texto para aprender español, cómo son y si les gustan.

A continuación, pida que formen grupos para comentar las características que crean que deben tener las fotografías de los libros de español. Lea la muestra de lengua a modo de ejemplo y pídales que tomen nota de las conclusiones a las que lleguen.

Transcurridos unos minutos, anímelos a poner en común sus ideas.

**B.** Informe a sus estudiantes de un concurso imaginario para elegir buenas fotografías para el aprendizaje del español. Presente el folleto donde se encuentran las bases y anímelos a leerlo y a subrayar la información referente a las condiciones que deben reunir las fotos para presentarse. Luego, en parejas, deben comentar si coinciden con las que ellos habían anotado en grupos en el apartado anterior.

**C.** Pida a sus estudiantes que vuelvan a formar los mismos grupos que en el apartado **A** y remítalos a las fotografías que aparecen en la página 47. Dígales que tienen que seleccionar las tres que más se ajustan a los requisitos planteados en las bases del concurso y que, por lo tanto, optarán a los premios.

**D.** Para terminar, cada grupo va a presentar sus conclusiones al resto de la clase justificando sus elecciones. Luego, puede sugerirles que lleguen a un acuerdo entre toda la clase para elegir las tres mejores fotografías.

## Y DESPUÉS

Escriba estas frases en la pizarra o proporcióneselas fotocopiadas:

> - *Serán seleccionados únicamente aquellos candidatos que tengan una licenciatura en Filología Hispánica.*
>
> - *Serán considerados méritos las titulaciones específicas en la Enseñanza de ELE.*
>
> - *No se tendrán en cuenta aquellos currículos que no demuestren un mínimo de 1000 horas de experiencia.*
>
> - *Se requiere experiencia en diferentes niveles (de A1 a B2 como mínimo).*
>
> - *Se valorarán los conocimientos de otras lenguas.*

En parejas, decidirán para qué tipo de trabajo creen que se pueden pedir esos requisitos. Cuando hayan adivinado que son para una plaza de profesor de español como lengua extranjera, pregunte si hay alguna expresión que no conocen, como por ejemplo Filología Hispánica. Explique aquellos conceptos que no entiendan.

A continuación, explíque que cada uno deberá pensar en algunos requisitos que se necesitan para ejercer una profesión como la suya. Si todavía no tienen una profesión, pueden elegir alguna que les gustaría tener en el futuro. Tienen que pensar, individualmente, cuáles creen que son estos requisitos y escribirlos en una hoja utilizando las estructuras trabajadas durante la unidad.

Mientras trabajan individualmente, paséese por el aula y vaya corrigiendo. El objetivo es que vayan adquiriendo el vocabulario específico que necesiten entorno a profesiones, titulaciones o requisitos para poder acceder a un puesto de trabajo. Sería interesante que tuvieran diccionarios para realizar esta actividad. Finalmente, van a intentar adivinar la profesión de sus compañeros; para ello, le proponemos dos dinámicas posibles:

1. Si sus estudiantes no se conocen mucho y no saben cuáles son las profesiones de sus compañeros, póngalos en parejas para que lean la hoja con los requisitos que ha escrito su compañero y adivinen su profesión. Entre ellos se deberán explicar el vocabulario que no entiendan.

2. Si los miembros de su grupo se conocen bien entre ellos, recoja todas las hojas y vuelva a repartirlas de tal manera que, si trabajan en parejas, ninguno de los dos reciba su propia lista ni la de su compañero. A continuación, indique que entre los dos deben adivinar a qué profesiones corresponden los requisitos de las dos listas que tienen y decir a qué compañeros creen que pertenecen.

# 7. UN CONCURSO PARA LA CLASE
*Diseñar las bases de una convocatoria. Decidir a cuál se pueden presentar.*

### OBSERVACIONES PREVIAS
En esta actividad sus alumnos elaborarán un "prducto" que pueden incluir en su Portfolio.

### ANTES DE EMPEZAR
Recuerde a sus estudiantes que van a realizar la tarea final, que consiste en pensar las condiciones para admitir candidatos a una convocatoria. Muestre las imágenes de las diferentes convocatorias de la página y llame la atención sobre el hecho de que que no corresponden solamente a concursos. Pida que, durante unos minutos, las lean y discutan con un compañero qué es lo que propone cada una de ellas.

### PROCEDIMIENTOS
**A.** Anuncie que van a trabajar en grupos pero que, primero, pueden elegir individualmente qué propuesta prefieren. Luego, pueden agruparse según sus elecciones. También puede formar usted los grupos y pedir que negocien qué propuesta quieren desarrollar, para asegurarse que no queda nadie trabajando individualmente y los grupos formados se componen del mismo número de estudiantes.

Diga que tienen que diseñar las bases (ocho condiciones

como máximo) de la convocatoria que hayan elegido. Tienen que pensar en las condiciones que deberán cumplir los candidatos, las obras que deberán presentar o las tareas que deberán realizar. También deben pensar en los criterios en los que se basará la selección de las obras y de los candidatos admitidos al concurso o al puesto.

**B.** Cuando todos los grupos tengan listos sus textos, pida que los cuelguen en el aula.

**C.** A continuación, pida a los estudiantes que lean todas las convocatorias y que piensen a cuál de ellas les gustaría presentarse, teniendo en cuenta las condiciones establecidas por sus compañeros.

Cuando terminen de leer, pida que cada estudiante se dirija al grupo que creó la convocatoria que ha elegido y exponga su solicitud y el porqué puede presentarse. El grupo deberá decidir si lo acepta o no según los requisitos exigidos.

## MÁS CULTURA

# EN UN MUSEO
*Leer el fragmento de un relato y continuarlo.*

### OBSERVACIONES PREVIAS
El texto proporcionado está vinculado temáticamente a las dos primeras actividades de la unidad. Haga referencia explícita a esas actividades para recordar lo que sus estudiantes ya habían comentado sobre los museos y el arte.

La primera pregunta del apartado **A** ya se había sugerido en el apartado *Antes de empezar*, previo a la actividad 1 de la unidad, por lo que, si ya la hubieran contestado entonces, puede plantearla en pasado, como si no usted recordara lo que habían dicho: **¿quiénes solíais ir a museos?**

### PROCEDIMIENTOS
**A.** Indique que el fragmento que van a leer trata sobre un museo. Pregunte a sus estudiantes: **¿sueles ir a museos? ¿Por qué? ¿Crees que todo el público de los museos va por las mismas razones?** Deje que lo comenten en grupos y haga una puesta en común.

Después, muestre la ilustración que acompaña el relato y pregunte si hay algo que les sorprende. Cuando alguien mencione el personaje que está durmiendo, pregunte quién creen que es (**un bedel**). Explote la ilustración y si le parece oportuno comente el vocabulario que le parezca pertinente: **cuadro**, **obra**, **estatua**, **pedestal**, **sala**, etc.

**B.** A continuación, presente brevemente al autor del relato (Manuel Vicent) y pida que lean individualmente el primer fragmento para responder a la pregunta: **¿a qué crees que**

**se debe la reacción del protagonista?** Recuerde que pueden hacer hipótesis de todo tipo. Cuando hayan terminado de leer, anímelos a comentar sus hipótesis en parejas o en clase abierta.

**C.** Ahora, pida que lean la continuación del relato individualmente para comprobar quién se ha acercado más a la versión real. Cuando hayan terminado, comenten en clase abierta la continuación del relato y motívelos para que pregunten lo que no entiendan del texto.

**D.** Explique que van a tener que continuar el relato, y pregunte: **¿cómo lo terminaríais?** Pueden hacer esta actividad individualmente o en parejas, en cuyo caso deberán negociar. Cuando hayan terminado, pida que cada uno lea en voz alta su final de la historia o, si no disponen de tiempo suficiente, que la cuelguen en el aula para que los compañeros la puedan leer y decidir qué final les parece más original y divertido.

**E.** Finalmente, indique que pueden leer el final de la historia y pensar con un compañero cuál puede ser su título. Deje que comenten sus decisiones antes de darles la respuesta: se trata de "Soñador de museos", un relato perteneciente a la obra *Espectros*, de Manuel vicent (El País - Aguilar, 2000).

# LA VIDA ES PURO TEATRO

**5**

Pida a sus estudiantes que observen la fotografía de la portadilla y pregúnteles: ¿en qué lugar se encuentran estas personas? ¿Cuál es su profesión? ¿Qué están haciendo en este momento? ¿Os gusta el teatro?

A continuación, pídales que, en dos o tres minutos, escriban todo el léxico que conozcan relacionado con el teatro. Anímelos a escribir no solo profesiones del mundo de la escena (actor, autor…), sino también elementos físicos (escenario, telón…) y todo lo que asocien con ese mundo. Después, haga una puesta en común.

Para terminar, presente los contenidos de la unidad y la tarea final: escribir una escena teatral.

## COMPRENDER

### 1. UNA COMEDIA PORTEÑA
*Leer dos fragmentos de una obra teatral y deducir de ellos el significado del título.*

#### OBSERVACIONES PREVIAS
El adjetivo **porteño** se usa para designar algo o a alguien procedente de algunas ciudades de España o América en las que existe puerto. En este caso, el adjetivo se refiere a Buenos Aires, capital de Argentina.

**Jettatore** es una palabra lunfarda que sirve para designar a individuos que atraen la mala suerte. El lunfardo es el argot que nace a finales del siglo XIX en la ciudad de Buenos Aires entre las clases populares. El lunfardo incluye palabras procedentes del español, el italiano, el portugués, el francés, las lenguas indígenas, etc. En este caso, la palabra **jettatore** proviene del dialecto napolitano. Para más información sobre el lunfardo, véase la página 156 del Libro del Alumno.

#### ANTES DE EMPEZAR
Pregunte a sus alumnos: **¿qué es una comedia? ¿Y una tragedia? ¿Preferís las comedias o las tragedias?** Haga referencia al título de la actividad y anímelos a hacer suposiciones acerca del significado de **comedia porteña**. Si no son capaces de deducirlo, explíqueselo usted.

#### PROCEDIMIENTOS
**A.** Pida a sus alumnos que lean los fragmentos de las tres escenas del acto tercero de la obra *¡Jettattore!* y que hagan hipótesis sobre el significado de esta palabra. Luego, pídales que las comenten con dos compañeros.

En una segunda lectura, pídales que elaboren una lista de todos los recursos que los personajes emplean para luchar contra la *jettatura* y aclare el significado de las expresiones que los alumnos desconozcan.

##### Solución
*Tocar fierro*
*Quemar benjuí*
*Brasero con carbones encendidos*
*Echar dos baldes de agua en el zaguán*
*Tiza en polvo*
*Nuez moscada*

**B.** Invite a sus alumnos a leer el segundo fragmento de la obra de teatro para descubrir el significado de **jettatore**. Tras la lectura, explíqueles el origen de esta palabra y proporcióneles algunos sinónimos en español: **gafe, aguafiestas, mala sombra, cenizo**. Puede proponer a sus alumnos que completen la lista de recursos para contrarrestar la *jettatura* que han elaborado anteriormente con los que podrán encontrar en este fragmento.

##### Solución
*Hacer el gesto de cuernos.*
*Decir "cus cus".*

**C.** Proponga a sus alumnos una lectura dramatizada en parejas de la escena del apartado **B**.

**D.** Invite a sus alumnos a escuchar el mismo fragmento interpretado por dos porteños (personas naturales de Buenos Aires) y a comparar su interpretación con la de ellos. Si lo considera conveniente, puede invitarlos a comentar aquello que les parezca destacable o curioso de esta variedad del español. Puede formular las siguientes preguntas: **¿habíais escuchado antes a porteños hablando? ¿qué os llama la atención?**

Si lo prefiere, puede invertir esta secuencia. Es decir, pedir a sus alumnos que escuchen la grabación y deduzcan después a partir de ella el significado de **jettatore**; que lean a continuación el texto y comprueben si sus hipótesis eran correctas. La lectura dramatizada se haría en último lugar.

**E.** Para finalizar, invite a aquellos alumnos que estén interesados a leer la biografía de Gregorio de Laferrere, el autor de *¡Jettatore!*. Si el autor despierta un interés general entre sus alumnos, puede hacer una lectura en voz alta en el aula. En caso contrario, invite a los interesados a leer el texto después de la clase.

## EXPLORAR Y REFLEXIONAR

### 2. FRAGMENTOS
*Relacionar tres fragmentos teatrales con el título al que pertenecen. Reflexionar sobre la manera de describir acciones a partir de las acotaciones. Clasificar palabras según las categorías gramaticales a las que pertenecen. Usos de* **quedar** *y* **quedarse**.

#### ANTES DE EMPEZAR
Si hasta el momento no se ha hablado de ellas, pregunte a sus alumnos si saben qué son las acotaciones de una obra de teatro. Si no lo saben, explíqueles que se trata de las notas que el dramaturgo incluye entre paréntesis para explicar todo lo relativo a la acción o movimiento de los personajes, el decorado de la escena, etc. Pídales que las identifiquen en el primer fragmento de esta actividad.

#### PROCEDIMIENTOS
**A.** Llame la atención de sus alumnos sobre los títulos de las obras de teatro que aparecen a la derecha y pregúnteles si conocen alguno. Anímelos a hacer suposiciones acerca del tema de las obras que más adelante contrastarán con la información extraída de lectura de los textos. Explíqueles que a continuación tendrán que leer cuatro fragmentos que

pertenecen a cuatro obras de teatro diferentes y que deberán intentar relacionar cada fragmento con el título correspondiente.

*Solución*
*2, 3, 1, 4*

**B.** Invite a sus estudiantes a leer los textos una segunda vez, pero fijándose ahora en las acotaciones para completar el cuadro. Recuérdeles que en ellas se aporta información no solo de lo que hacen los personajes en cada momento, sino también de cómo lo hacen: su actitud o estado de ánimo.

*Solución*
*1. alterado*
*2. descompuesto*
*3. atropelladamente*
*4. con ansiedad*
*5. bruscamente*
*6. alegre*
*7. sin mirar*
*8. barriendo las baldosas*
*9. paralizado*
*10. con desgana*

**C.** Pida ahora a sus alumnos que clasifiquen las palabras anteriores según su categoría gramatical.

*Solución*
Adverbio: *atropelladamente, bruscamente.*
Adjetivo: *alterado, descompuesto, alegre, paralizado.*
Gerundio: *corriendo, barriendo*
Preposición + Nombre: *con ansiedad, con desgana*
Preposición + Infinitivo: *sin mirar*

Explíqueles que todas ellas son formas de describir acciones y remítalos al apartado *Describir acciones* de la sección CONSULTAR, en la página 54, donde se recogen y amplían estos recursos.

Para finalizar, escriba en la pizarra las frases **Matías se queda paralizado** y **Matías está paralizado**. Invítelos a explicar la diferencia entre ambas. Anímelos a hacer hipótesis y contextualice los ejemplos para ayudarlos a ver la diferencia, si lo considera necesario. Al final, explique que la expresión **se queda paralizado** introduce un aspecto de cambio de estado (antes no estaba paralizado). Remita a sus alumnos al apartado *Usos de quedar* de la sección CONSULTAR, en la página 55.

## Y DESPUÉS
Proponga a sus alumnos que, en grupos de tres, representen estas acciones siguiendo las indicaciones de las acotaciones. Indíqueles que, en algunos casos, tendrán que imaginar un objeto (un teléfono, un teclado...). Luego, pida a los diferentes grupos que representen una acción sin decir cuál es. Los demás grupos tendrán que intentar adivinar de cuál se trata.

## MÁS EJERCICIOS
Página 128, ejercicios 1 y 2.
Página 132, ejercicio 9.

# 3. ¿CON "SE", SIN "SE" O CON "LE"?
*Reflexionar sobre cómo el uso del pronombre reflexivo **se** y el del pronombre de Objeto Indirecto **le** puede modificar el significado de un verbo. Construir varias oraciones con un mismo verbo utilizando estos pronombres.*

## PROCEDIMIENTOS
**A.** Pida a sus estudiantes que se fijen los tres primeros dibujos y completen por parejas las frases que aparecen a la derecha de cada uno. Anime a algunas parejas a leer sus frases y anime a la clase a responder en qué cambia el significado de un verbo cuando este se utiliza con **se**, sin **se** y con **le**, respectivamente.

Haga una puesta en común con las conclusiones de sus alumnos y ayúdelos, si es necesario, con la siguiente explicación:

Algunos verbos pueden llevar el pronombre **se**; se trata de verbos reflexivos si la acción del verbo recae sobre el mismo sujeto que realiza la acción, como en el ejemplo **Marta se esconde** (= a sí misma).

El mismo verbo (**esconder**) sin el pronombre **se** exige la presencia de un Objeto Directo, como en el ejemplo **Marta esconde su oso de peluche**, o bien de un Objeto Directo y un Objeto Indirecto, como en el ejemplo **Marta le esconde las llaves a Irene**, representado en este caso por el pronombre **le**.

Una manera gráfica de representar esto podría ser:

Pida a sus alumnos que completen el resto de las frases siguiendo el modelo y haga después una puesta en común en clase abierta.

## Solución

2. Marta esconde su osito de peluche debajo de la cama.
3. Marta le esconde las llaves a Irene.
4. Marta se levanta a las 8:00.
5. Marta levanta los brazos.
6. Marta le levanta el vestido a Beatriz.
7. Marta se tira a la piscina.
8. Marta tira a Juanjo a la piscina.
9. Marta le tira la pelota a Juanjo.

**B.** Proponga a sus estudiantes que repitan la actividad individualmente con los verbos **peinarse** y **taparse** y que contrasten después sus frases con las de un compañero. Corrija en clase abierta.

## Solución (sugerencia)

Marta se peina por las mañanas.
Marta peina a su hermana.
Marta le peina la melena (a su hermana).

Marta se tapa con la manta porque tiene frío.
Marta tapa a su hermana.
Marta le tapa la boca a su hermana.

## 4. EN EL ESCENARIO

*Aprender recursos para expresar posturas corporales, cambios o continuidad en la acción y en los estados de ánimo. Usos del verbo **poner** y **ponerse**.*

### ANTES DE EMPEZAR

Explique a sus alumnos que van a conocer formas de describir posturas o posiciones. Para ello, reparta los dibujos que encontrará más abajo y pida a sus alumnos que los relacionen con las expresiones correspondientes.

Luego, pídales que piensen en los verbos que se pueden emplear para indicar la transición hacia uno de los estados anteriores. Ofrezca algunos ejemplos: **sentarse ⇒ estar sentado**; **agacharse ⇒ estar agachado**; **levantarse/ponerse de pie ⇒ estar de pie**. Pídales que completen las casillas en blanco con los verbos correspondientes.

### Solución

| | | |
|---|---|---|
| Estar sentado | ⇒ | sentarse |
| Estar agachado | ⇒ | agacharse |
| Estar tumbado | ⇒ | tumbarse |
| Estar acostado | ⇒ | acostarse |

1. Estar sentado

2. Estar agachado

3. Estar tumbado (boca arriba)

4. Estar tumbado (boca abajo)

5. Estar de pie

6. Estar de rodillas

7. Estar en cuclillas

| Estar de pie | ⇒ | levantarse/ponerse de pie |
| Estar de rodillas | ⇒ | arrodillarse/ponerse de rodillas |
| Estar en cuclillas | ⇒ | acuclillarse/ponerse en cuclillas |

Remita a sus alumnos al apartado *Postura corporal* de la sección CONSULTAR, en la página 54, y repase con ellos las estructuras y sus ejemplos. Haga hincapié en el uso de verbos reflexivos que expresan movimiento.

Aproveche para explicar los diferentes usos del verbo **poner** que aparecen en el apartado *Usos de poner*, en la página 55 de esta misma sección. Haga especial hincapié en el uso del verbo **ponerse** para expresar un cambio (normalmente de salud, estado de ánimo o físico).

## PROCEDIMIENTOS
Explique a sus alumnos que en estas imágenes se ven dos momentos de una obra teatral y que, entre uno y otro, han transcurrido solo unos segundos, pero unos segundos cruciales para el desarrollo de la trama argumental. Pídales que describan lo más detalladamente posible qué ha cambiado y qué continúa igual, y que escriban frases utilizando los recursos que aparecen en la nota de color mostaza. Ponga un ejemplo a partir de la muestra de lengua. Al finalizar haga una puesta en común en clase abierta y corrija la actividad.

### Solución (sugerencia)
- En la primera escena el hombre está de pie; en la segunda se ha puesto de rodillas.
- En la primera escena la mujer está sentada, en la segunda se ha levantado y se ha acercado al hombre.
- En la primera escena la mujer lleva gafas; en la segunda se las ha quitado.
- En la primera escena la mujer está leyendo un libro; en la segunda escena la mujer ha dejado de leerlo.
- En la primera escena el hombre no lleva sombrero; en la segunda escena se lo ha puesto.
- En la primera escena la mujer no llora; en la segunda escena la mujer se ha puesto a llorar.
- En la primera escena el gato está durmiendo; en la segunda el gato sigue durmiendo.

Opción: si lo considera conveniente, puede pedirles que conviertan las frases en un texto utilizando los marcadores discursivos que han ido aprendiendo a lo largo de las unidades anteriores. En este caso puede aprovechar para referir a sus alumnos al apartado *Marcadores temporales* de la sección CONSULTAR, en la página 54.

Escriba en la pizarra las frases en las que sus alumnos han utilizado las expresiones **se ha puesto a llorar** y **sigue durmiendo**. Puede señalar que se trata de perífrasis verbales, es decir, estructuras formadas por más de una forma verbal para expresar una acción. Explíqueles que se utilizan para introducir matices de significado. Remítalos al apartado *Perífrasis verbales* de la sección CONSULTAR, en la página 54, y repáselo con ellos. Asegúrese de que entienden el significado de cada una de ellas.

## MÁS EJERCICIOS
Página 129, ejercicios 3 y 4.
Página 130, ejercicio 5.
Página 133, ejercicio 10 y 11.

## PRACTICAR Y COMUNICAR

### 5. ¿Y TÚ? ¿HACES LO MISMO?
*Expresar costumbres y hábitos cotidianos. Reconocer y utilizar marcadores temporales para introducir una acción que se produce de forma inesperada o brusca y para acciones que suceden al mismo tiempo.*

### ANTES DE EMPEZAR
Explique a sus alumnos que en esta actividad van a conocer los hábitos del chico de la imagen, Antonio. Pídales que miren el dibujo y pregúnteles: **¿qué momento del día es? ¿Qué es lo primero que hace Antonio al levantarse? Los que lleváis gafas, ¿hacéis lo mismo? ¿Qué es lo primero que hacéis al levantaros?**

### PROCEDIMIENTOS
Explique que las frases describen algunas de las costumbres de Antonio y pídales que las lean individualmente y marquen aquellas en las que coinciden con Antonio. En el caso de que no coincidan, pídales que escriban esquemáticamente uno de sus hábitos al lado de la frase.

A continuación, invítelos a formar grupos de cinco personas para comentar sus costumbres. Pídales que intenten extraer conclusiones sobre algunos hábitos generales que se repiten entre ellos, así como algún dato o anécdota curiosa.

Pida ahora a sus alumnos que vuelvan a leer las frases y que subrayen las estructuras que sirven para expresar dos acciones que suceden al mismo tiempo. Haga una puesta en común y sistematice en la pizarra:

> **al + Infinitivo**
> **mientras tanto**
> **verbo en Gerundio**
> **mientras**

Por último, invítelos a escribir las conclusiones a las que han llegado en el paso anterior, los hábitos comunes y los curiosos, utilizando estos recursos. Termine con una puesta en común en clase abierta.

## 6. LUIS RICARDO

*Dar y comprender instrucciones para encontrar un objeto escondido.*

### ANTES DE EMPEZAR

Proponga a sus alumnos que, agrupados por parejas, hagan el ejercicio 6 de la página 130 como actividad previa. Este ejercicio les servirá como repaso del vocabulario necesario para ubicar un objeto en el espacio. Si fuera necesario para realizar el ejercicio, deje que sus alumnos consulten el apartado *Situación espacial* de la página 55. Explíqueles que uno de ellos debe leer el texto en alto mientras el otro se concentra en el dibujo y va situando los objetos de acuerdo con la descripción que va leyendo su compañero.

### PROCEDIMIENTOS

**A.** Explique que el objetivo de la actividad es encontrar un objeto escondido y que deberán dar y comprender las instrucciones necesarias para ello. Explique el procedimiento de la actividad: uno de los alumnos será el robot Luis Ricardo y deberá salir de la clase un momento. Mientras está fuera, usted esconderá un objeto en algún lugar de la clase, que el robot tendrá que encontrar después siguiendo las instrucciones de sus compañeros.

Recuérdeles que las instrucciones deben ser lo más detalladas posible y que les serán útiles los verbos de movimiento y cambio de postura introducidos en la unidad (**acercarse**, **aproximarse**, **girarse**, etc.). Lea la muestra de lengua y pregúnteles en qué modo aparece el verbo. La respuesta es **Imperativo**.

Recuérdeles que el uso del Imperativo es la forma más natural de dar instrucciones en este caso (**da tres pasos a la derecha, acércate a la ventana**). Si lo considera conveniente, puede repasar con ellos las formas del Imperativo, así como la posición de los pronombres al acompañarlo.

**B.** Repita la actividad con una dinámica diferente: esta vez divida la clase en varios grupos (tantos como considere necesarios según la cantidad de alumnos). Cada grupo deberá designar a una persona que actúe de robot y, mientras ésta está fuera, esconder un objeto que deberá encontrar después siguiendo el procedimiento de la actividad anterior.

## 7. ¿CÓMO LO INTERPRETAS?

*Interpretar una misma frase en tres contextos diferentes. Reflexionar sobre el uso de la entonación para conferir significado a un mensaje.*

### ANTES DE EMPEZAR

Explique a sus alumnos que un factor fundamental en el teatro es la lectura dramatizada del texto y su interpretación por parte de los actores, y que dentro de esta interpretación la entonación que se le da a un texto es fundamental para otorgarle significado.

Explique a sus alumnos que, con el libro cerrado, van a escuchar una misma frase con diferente entonación. Pídales que, mientras escuchan, pongan atención a las diferencias entre las interpretaciones y piensen en un contexto en el que la frase se podría expresar de esa manera. A continuación, interprete la primera frase de la actividad (**¿Abres la ventana?**) como le sugiere el libro: como si estuviera irritado, sorprendido y asustado, sucesivamente. Introduzca en sus interpretaciones modulaciones de voz, cambios de tono, gestos y todo aquello que considere que puede ayudar a sus alumnos.

Anímelos después a comentar sus resultados (los contextos que han imaginado) con los de otros dos compañeros y a reflexionar sobre qué elementos les han resultado útiles para llegar a ellos. Haga una puesta en común en clase abierta e invite a sus alumnos a comparar sus contextos con los que ofrece la actividad.

### PROCEDIMIENTOS

**A.** A continuación, explique a sus alumnos que ahora son ellos quienes deben interpretar algunos mensajes. Pídales que formen parejas y lean el resto de la actividad. Déjeles tiempo suficiente para leer todas las frases y aclare las posibles dudas de vocabulario. Después, explique que uno de los compañeros va a interpretar las frases en negrita escogiendo uno de los contextos y actitudes que sugiere el libro. Su compañero tendrá que adivinar cuál de las opciones está interpretando.

**B.** Explique que a continuación van a escuchar las frases en una grabación y pídales que marquen el contexto que corresponde a cada una. Haga una primera audición y deje que comenten sus respuestas en parejas. Puede poner otra vez la grabación en caso de que haya discrepancias entre las parejas. Deje una pausa larga después de cada frase para darles la oportunidad de intercambiar pareceres Finalmente, haga una puesta en común en clase abierta.

Por último, refiera a sus alumnos al apartado *Estados de ánimo* de la sección CONSULTAR, en la página 55.

*Solución*

1. a
2. a
3. c
4. b

### MÁS EJERCICIOS

Página 131, ejercicio 7.

# 8. ACOTACIONES

**Escribir las acotaciones para un fragmento de una obra de teatro. Representar una escena de una obra de teatro.**

## OBSERVACIONES PREVIAS

*Morir (Un instante antes de morir)* presenta siete historias independientes que se desarrollan paralelamente y con un punto en común: el protagonista de cada historia muere, y cada episodio representa los instantes previos a su muerte. A pesar de la seriedad del tema, se trata de una comedia y está escrita en un tono de humor corrosivo.

Tenga en cuenta que llevar a cabo esta actividad puede requerir cerca de una hora.

## ANTES DE EMPEZAR

Para ofrecer a sus alumnos un modelo a partir del cual escribir las acotaciones, propóngales realizar el ejercicio 8 de la página 132. Si lo prefiere, puede remitirlos a la actividad **B** de la página 52 y hacer con ellos un breve análisis de las características principales del texto dramático (que puede definirse como un diálogo en el que se insertan descripciones de elementos extralingüísticos, las acotaciones).

Presente a Sergi Belbel como un representante del teatro español contemporáneo (puede fotocopiar la breve biografía que le proporcionamos aquí) y explique que los tres fragmentos de la actividad pertenecen a escenas diferentes de una de sus obras teatrales, *Morir (Un instante antes de morir)*. Invite a sus alumnos a hacer hipótesis sobre del argumento de la obra y a comentarlas entre ellos. Haga después una puesta en común en clase abierta.

**Sergi Belbel**
(1963)

Nació en Terrassa (Barcelona). Estudió Filología Románica y Francesa en la Universidad Autónoma de Barcelona y es miembro fundador del Aula de Teatro de esa universidad. Desde 1988 es profesor de Dramaturgia en el Institut del Teatre y desde enero de 2006, el responsable artístico del Teatro Nacional de Cataluña.

Entre sus obras destacan *Faros de hoy*, de 1985 (Premio Marqués de Bradomín), *Después de la lluvia*, de 1993, y *Morir (un instante antes de morir)*, de 1994, ganadora del Premio Nacional de Literatura Dramática en 1996. En 2005 se estrenó *Móvil*, en la que Belbel reflexiona acerca de la función del teléfono móvil en la sociedad actual y su efecto sobre las relaciones humanas.

## PROCEDIMIENTOS

**A.** Explique a sus alumnos que en los siguientes textos faltan las acotaciones, por lo que no es posible conocer con exactitud la actitud, el estado de ánimo de los personajes o sus movimientos por el escenario. Con un alumno que se ofrezca como voluntario, haga una lectura expresiva de las cuatro primeras intervenciones del diálogo de la escena 1 e invite a los alumnos a imaginar cuál es la actitud de los personajes y la relación que los une. Escriba sus respuestas en la pizarra. A continuación, anímelos a convertir las respuestas apuntadas en acotaciones para esas intervenciones y añádalas a lo escrito en la pizarra.

Cuando esté seguro de que sus alumnos han comprendido el mecanismo, divida la clase en grupos de tres personas, asigne un texto (una escena) a cada grupo y concédales veinte minutos para escribir las acotaciones. Recuérdeles que pueden hacer uso de todos los recursos aprendidos hasta el momento en la unidad. Paséese por los grupos mientras dure la actividad para asesorarlos y solventar posibles dudas.

Transcurrido el tiempo, comunique el siguiente paso: la representación de la escena. Explique que en cada grupo deberá haber dos actores y un director, quien debe dar instrucciones a los primeros sobre la puesta en escena. Concédales de diez a quince minutos para ensayar.

Para la representación puede optar por una de estas modalidades: una lectura expresiva del texto, en la que los actores permanecen sentados y prescinden casi por completo de expresión corporal, o una lectura dramatizada como si estuvieran en el escenario, que incorpora expresión corporal y movimiento a lo largo del escenario imaginario. En ambos casos, puede dar a elegir a los alumnos entre leer el texto o aprenderlo de memoria. Si algún grupo escoge esta última opción, concédale tiempo hasta la próxima clase para memorizar los diálogos.

**B.** Después de la representación de cada grupo, pida a sus alumnos que tomen notas sobre los aspectos positivos y negativos que han observado y los comenten con sus compañeros de grupo. Para finalizar, promueva una reflexión basada en las notas que han tomado y sugiérales que escojan la mejor representación, justificando su elección.

Es importante que enfatice que el objetivo de la votación no es la competición, sino la reflexión conjunta de las características que garantizan el éxito de una lectura dramatizada.

## Y DESPUÉS

Puede sugerir a sus alumnos la lectura de la obra completa de *Morir (Un instante antes de morir)* o de uno de sus episodios. Si lo prefiere, puede buscar y proporcionarles el final de las escenas de la página 57.

Existe, además, la versión cinematográfica de esta obra teatral: *Morir (o no)*, llevada al cine el año 2000 por Ventura Pons. En esta versión, los personajes de la obra de Belbel reciben una segunda oportunidad y el espectador ve qué pasaría si no murieran. Dependiendo del interés de su grupo, puede ser interesante hacer una comparación entre la obra de teatro y la película.

## 9. NINETTE Y UN SEÑOR DE MURCIA
**Escribir una escena de teatro y representarla.**

### OBSERVACIONES PREVIAS
Según sea el tamaño de su grupo, es posible que tenga que dedicar hasta dos sesiones al desarrollo de esta actividad.

Al presentar la tarea a sus alumnos puede ser muy útil situar la obra en el contexto histórico en el que fue escrita: *Ninette y un señor de Murcia*, de Miguel Mihura, es una comedia de 1964 que refleja algunas características sociales y políticas de la época. En la década de 1960, España vivía bajo el régimen dictatorial del general Franco y era una sociedad provinciana y católica, cerrada a las influencias del extranjero, especialmente en las pequeñas ciudades. En este contexto, Francia y otros países europeos representaban la libertad, la modernidad y otros valores que una buena parte de la población española añoraba.

La obra refleja asimismo un fenómeno histórico concreto: la emigración a Francia tras la Guerra Civil de muchos republicanos españoles con el objetivo de evitar la represión franquista. Los padres de Ninette pertenecen a este colectivo de exiliados republicanos.

En los apartados **A** y **B** de esta actividad los alumnos elaborarán un "producto" que pueden incluir en su Portfolio.

### ANTES DE EMPEZAR
Recuerde a sus alumnos la tarea final de la unidad: escribir una escena para una obra de teatro. Explíqueles que leerán un fragmento de una obra escrita por un autor español en la década de 1960. Pregunte a sus alumnos qué saben acerca de cómo era España en esa época y cómo creen que era la vida allí. Aproveche para introducir el contexto histórico y sociopolítico de la obra.

A continuación, pida a sus alumnos que miren la fotografía y lean el título de la obra de teatro. Anímelos a describir la imagen y ponerla en relación con el título de la obra mediante preguntas como: **¿quién es Ninette? ¿Y el señor de Murcia? ¿Quién puede ser el otro hombre? ¿Cómo creéis que son los personajes? ¿Cuál puede ser el argumento de la obra?**

Ayúdelos poniendo en relación la situación de España con la de otros países europeos en la misma década (mayo del 68 en Francia, por ejemplo).

### PROCEDIMIENTOS
**A.** Pida a sus alumnos que lean individualmente la sinopsis, el acto primero y la escena final de Ninette, comprueben si sus hipótesis sobre el argumento de la obra eran acertadas y comenten sus conclusiones con un compañero. Haga una puesta en común en clase abierta y añada la información que considere necesaria.

A continuación, explíqueles que, en grupos, van a imaginar el desarrollo de una escena y a escribirla. Llame su atención sobre la nota de la derecha, en la que se incluyen algunos momentos de la obra. Explíqueles que, si lo desean, pueden escoger uno de esos momentos como base para su escena que elaborarán, o inventar otra libremente. Recuérdeles que deben escribir también las acotaciones.

**B.** Una vez escrita, invítelos a escenificarla ante el resto de la clase. Si lo desean, también pueden grabar la escena en vídeo. Es posible que los grupos tengan que redistribuirse para ajustarse al número de personajes de cada escena. En ese caso, procure que dispongan del tiempo necesario.

## MÁS CULTURA

## LA ZARZUELA

### ANTES DE EMPEZAR
Explique a sus alumnos que van a escuchar un fragmento de una obra musical y ponga los primeros minutos de la grabación de *La Revoltosa* que se incluye en el CD. Pregunte a sus alumnos: **¿conocéis esta música? ¿Sabéis qué género musical es?** Es muy posible que la confundan con la ópera. Si ninguno conoce la **zarzuela**, introduzca brevemente el término. A continuación pida a sus alumnos que observen la fotografía que aparece en la página 164 y hagan suposiciones acerca de los temas de este género musical.

### PROCEDIMIENTOS
**A.** Pida a sus alumnos que lean las preguntas del apartado y marquen la respuesta que les parezca correcta.

**B.** Explíqueles que en el texto encontrarán las respuestas y podrán comprobar sus hipótesis. Pídales que lean el texto y que comprueben sus respuestas.

*Solución*
1. *Es un género musical.*
2. *Suele reflejar la vida cotidiana de Madrid.*
3. *La zarzuela se encuentra actualmente en ligera decadencia.*

**C.** Dirija la atención de sus alumnos al fragmento de *La*

*Revoltosa* que aparece en la página 165. Explique que se trata de una zarzuela muy popular y aclare el significado del adjetivo **revoltoso** ('**travieso**, **alborotador**').

Comente que se trata de un diálogo entre un hombre y una mujer, y pida a sus alumnos que hagan hipótesis sobre el significado de las palabras y expresiones que aparecen subrayadas. Anímelos a utilizar el diccionario si es preciso.

Una vez aclarado el significado literal, pregúnteles si creen que tienen un significado parecido (o qué tienen en común) e invítelos a discutir entre ellos.

### Solución
Serrano/a:  que habita en la sierra o nacido en ella.
Chulo/a:  individuo de la clase popular de Madrid que se distinguía por cierta afectación y guapeza en el traje y la manera de conducirse.
Chiquillo/a:  diminutivo de chico y chica.
Zalamero:  muy cariñoso, casi empalagoso.
Nena:  niña de corta edad. Como demostración de cariño para personas de más edad.
Felipillo:  diminutivo de Felipe.

*Todas las expresiones son palabras de cariño, piropos dirigidos a alguien por el que se tiene afecto y atracción.*

Pregúnteles si en su lengua existen apelativos de este tipo cuyo significado varíe cuando se utilizan en un contexto afectivo o amoroso.

**D.** Proponga a sus alumnos que escuchen este fragmento de zarzuela y que tomen nota de las frases que faltan al final.

### Solución
Felipe:  ¡Ay, tú eres esa!
Mari Pepa:  ¡Ay, tú eres ese!
Los dos:  ¡Ay! Pues si tú no lo fueras, mi vida, ¿quién lo habría de ser?
Felipe:  ¡Ay, tú eres esa!
Mari Pepa:  ¡Ay, tú eres ese!
Los dos:  ¡Ay! Pues si tú no lo fueras, mi vida, ¿quién lo habría de ser?
Mari Pepa:  ¡Chiquillo!
Felipe:  ¡Chiquilla!
Mari Pepa:  ¡No me hables así!
Los dos:  Te quiero, te quiero, ¿me quieres tú a mí?
Los dos:  ¡De mí qué sería sin ti, sin ti, sin ti! ¡De mí qué sería sin ti!

Después pregúnteles por su opinión y por las impresiones que les produce un género como este, e interésese por saber si en su país existe algún género musical que se pueda comparar a la zarzuela.

**E.** Por último, pídales que lean el resumen de la zarzuela y que decidan a qué parte de la obra puede pertenecer el fragmento que han leído y escuchado.

### Solución
Al final.

### Y DESPUÉS
Si sus alumnos han disfrutado con esta actividad y muestran interés por la zarzuela, puede llevar más ejemplos en audio o video, o invitar a los alumnos a informarse sobre el género y traer nuevos ejemplos de zarzuela a clase, así como ejemplos de música similar de su país.

# TEST 1

Puede utilizar el **Test 1** (página siguiente) como repaso global de todo lo explicado a lo largo de la primera mitad del curso o, si se incorpora algún alumno al grupo, como prueba de nivel.

## Soluciones

| | | | | |
|---|---|---|---|---|
| 1. c | 5. b | 9. b | 13. b | 17. a |
| 2. d | 6. b | 10. a | 14. b | 18. a |
| 3. c | 7. c | 11. c | 15. c | 19. c |
| 4. b | 8. b | 12. d | 16. d | 20. d |

1. ● Yo, si tuviera dinero, _____ muy claro a qué lugar iría de vacaciones.

   **a.** tuve  **b.** tuviera
   **c.** tendría  **d.** tenga

2. ● En aquella época necesitaba a alguien que _____ del español al polaco y apareció Andrzej.
   ○ Qué suerte, ¿no?

   **a.** traducirá  **b.** traduzca
   **c.** traduce  **d.** tradujera

3. ● Ya sé que te has quedado sin trabajo, pero no es el fin del mundo. _____ puede ser una gran oportunidad para ti.
   ○ Si tú lo dices... Igual tienes razón.

   **a.** Lo que pasa es que  **b.** Sin embargo
   **c.** De hecho  **d.** En lugar de

4. ● Me encanta vivir solo. No quiero _____ mi independencia.

   **a.** sentir  **b.** renunciar a
   **c.** pensar en  **d.** echar en falta a

5. ● ¿Fuiste el sábado al concierto?
   ○ Pensaba ir, pero justo cuando _____ a salir de casa me llamó Quique para decirme que el coche se le había estropeado.

   **a.** fuera  **b.** iba
   **c.** estaba  **d.** estuviera

6. ● El piloto pidió a los pasajeros que _____ un poco de paciencia por el retraso del vuelo.

   **a.** tengan  **b.** tuvieran
   **c.** tenían  **d.** habían tenido

7. ● Alberto tuvo una enfermedad muy grave y estuvo a punto de morir. _____ su vida cambió.

   **a.** Hasta ese día  **b.** Hasta ese momento
   **c.** A partir de aquel momento  **d.** A esas alturas

8. ● No sé cómo pasó, pero estaba sirviendo el café y lo derramé encima de la mesa. Por suerte nadie se quemó.
   ○ ¡_____!

   **a.** Entonces  **b.** Menos mal
   **c.** A esas alturas  **d.** Justo a tiempo

9. ● Me ha dicho un amigo que van a prohibir que los coches circulen por el centro.
   ○ _____, porque yo no he oído nada sobre eso.

   **a.** Es posible que sea verdad
   **b.** Dudo que sea verdad
   **c.** Eso seguro
   **d.** Considero que es verdad

10. ● ¿Te has enterado? El jefe nos ha pedido que nos quedemos más horas para acabar a tiempo el proyecto.
    ○ Pues a mí no me parece mal, _____ nos paguen esas horas.

    **a.** siempre y cuando  **b.** solo si
    **c.** a condición de  **d.** si

11. ● ¿Qué te pasa? ¿Estás enfadado por algo?
    ○ Es que estoy harto. El año pasado, obras en mi calle; luego, arreglaron la fachada del edificio y más obras; _____ ahora mi vecino va a reformar su piso. ¡No sé cuándo voy a poder descansar!

    **a.** en resumen  **b.** en el fondo  **c.** y encima  **d.** en fin

12. ● ¿A ti te parece bien que tu hermano _____ que hacer todo el trabajo?

    **a.** tener  **b.** tiene  **c.** haber tenido  **d.** tenga

13. ● Los candidatos serán _____ a una entrevista personal.

    **a.** publicados  **b.** convocados
    **c.** expuestos  **d.** accedidos

14. ● _____ deseen optar a las plazas deberán presentar toda la documentación antes del 30 de octubre.

    **a.** Todos aquellos  **b.** Quienes
    **c.** Aquellas personas  **d.** Los cuales

15. ● ¿Y tú no te vas a presentar a la oposición?
    ○ No. Es que es obligatorio _____ la carrera. Y yo todavía tengo pendiente una asignatura.

    **a.** acabar  **b.** acabada
    **c.** haber acabado  **d.** acabado

16. ● En el anuncio decía que buscan a personas que _____ actualmente en España.

    **a.** hayan residido  **b.** residieron
    **c.** han residido  **d.** residan

17. ● Puedes llamar a Nacho e invitarlo también a la fiesta.
    ○ ¿No lo sabes? No está. _____ de viaje anteayer.

    **a.** Volvió a irse  **b.** Se ha puesto a irse
    **c.** Ha dejado de irse  **d.** Sigue yéndose

18. ● Esteban _____ boca arriba y se queda pensando.

    **a.** se tumba  **b.** se levanta
    **c.** se pone en cuclillas  **d.** se sienta

19. ● Cuando le dijeron que había ganado un millón de euros en la lotería se quedó _____.

    **a.** en los huesos  **b.** enferma  **c.** sin habla  **d.** colorada

20. ● Iván no pone ningún interés en las clases. No sé que hacer.
    ○ Hombre, yo creo que si va a clase _____, es mejor que no vaya y que busque algo que realmente le guste.

    **a.** de vicio  **b.** de maravilla
    **c.** sin mirar  **d.** de mala gana

# 6 DIJISTE QUE LO HARÍAS

Remita a sus alumnos a la fotografía de la portadilla y pregúnteles: **¿qué está haciendo la persona de la fotografía?** A continuación, pregúnteles: **¿lo hace de buena gana?** y explique el significado de esta expresión.
Anime a sus alumnos a pensar por qué esta persona está haciendo algo que le produce rechazo. Dirija la conversación hacia la posibilidad de que tenga que cumplir un acuerdo previo, como una apuesta. Introduzca expresiones como **Lo había prometido**, **Dijo que lo haría** o la del título de la unidad.
A continuación, presente los objetivos de la unidad y la tarea final: juzgar si varias personas han cumplido, o no, con algo acordado con anterioridad.

## COMPRENDER

## 1. UN NUEVO CANAL DE TELEVISIÓN

*Leer la presentación y declaración de intenciones de un nuevo canal de televisión. Opinar sobre la programación de un canal de televisión.*

### OBSERVACIONES PREVIAS

Tenga en cuenta que el ejercicio 1 de la página 134 propone una serie de actividades para trabajar en profundidad el texto de esta actividad. Por ello, le recomendamos que siga primero la secuencia **A**, **B** y **C** de la actividad 1 de la página 60, e invite después a sus alumnos a realizar el ejercicio 1 de la página 134, bien en el aula, bien como trabajo para hacer en casa.

Aproveche para dar a conocer la cultura televisiva de uno o varios países de Hispanoamérica: traiga periódicos, revistas o páginas web impresas en las que figure la programación televisiva de distintos canales para el día de la clase.

### PROCEDIMIENTOS

**A.** Pregunte a sus alumnos si ven la televisión y qué canales suelen ver. Asegúrese de que comprenden la acepción de la palabra **canal** referida a la televisión. Pídales que formen grupos de tres personas y conversen sobre las preguntas formuladas en la actividad. Haga luego una breve puesta en común en clase abierta escribiendo en la pizarra los tipos de programas que nombren sus alumnos.

Reparta ahora a cada grupo (o a grupos más grandes) los periódicos, revistas o páginas web impresas y pídales que observen la programación de televisión para ese día. Invítelos a estudiarla y a escoger un canal que les parezca interesante. Haga después una puesta en común y pida a sus alumnos que justifiquen su elección.

**B.** Explique a sus alumnos que Canal 10 es un nuevo canal de televisión que está haciendo una campaña de publicidad para promocionar su lanzamiento. Pídales que lean el cartel de la campaña de promoción y pregúnteles: **¿cómo os imagináis este canal? ¿Qué tipo de programas habrá? ¿Cómo creéis que la audiencia puede participar en los contenidos de un canal de televisión?**

Aproveche para sistematizar y ampliar el vocabulario sobre los diferentes tipos de programa que haya aparecido en el apartado anterior. Añádalo al vocabulario de la pizarra y asegúrese de que se mencionan los siguientes: informativos, retransmisiones deportivas, series dramáticas, telenovelas, programas de cocina, concursos y reportajes o documentales.

**C.** Explique a sus alumnos que en el texto que aparece a continuación, extraído de la página web de Canal 10, se presenta la cadena de televisión. Pídales que lo lean para contrastar sus hipótesis acerca del tipo de programas que creen que predominarán en el canal, así como de las formas de participación de la audiencia. Asimismo, refiéralos a las preguntas del enunciado y pídales que lean el texto para poder responderlas.

Concédales tiempo para comentar sus conclusiones en pequeños grupos o parejas y termine con una puesta en común. Durante la misma, diríjase a la lista de programas de la pizarra y vaya subrayando aquellos que aparecen en la presentación de Canal 10 y añadiendo aquellos que no estén aún en la lista, si los hay.

### MÁS EJERCICIOS

Página 134, ejercicio 1.

## 2. PROGRAMACIÓN SEMANAL

*Leer la programación de un canal de televisión y decidir si responde a la declaración de intenciones que hizo en su presentación.*

### ANTES DE EMPEZAR

Explique a sus alumnos que en esta actividad van a analizar la programación de Canal 10. Refiéralos a la lista de programas que se encuentra en la pizarra y pídales que, por parejas, hagan una lectura selectiva de la programación para saber si los programas prometidos por Canal 10 en su declaración de intenciones se encuentran efectivamente en la programación actual. Para ello, anímelos a hacer suposiciones acerca del contenido de los programas a partir de su título y su descripción.

### PROCEDIMIENTOS

**A.** Pida ahora a sus alumnos que, a partir de los resultados de su primera lectura, decidan si el tipo de programación responde a las intenciones declaradas en la presentación del canal. Deje que vuelvan a leer el texto y lo comenten en parejas, y después, pídales que hagan una puesta en común en clase abierta.

**B.** A continuación, proponga a cada pareja que prepare su programación ideal a partir de la programación de Canal 10. Para ello, puede facilitarles la tabla que encontrará en la página siguiente.

### Y DESPUÉS

Promueva una charla sobre la televisión en sus países de origen con preguntas como **¿se diferencia mucho vuestra programación ideal de la de los canales de vuestro país? ¿Qué tipo de programas predominan? ¿Cuáles suprimiríais y cuáles añadiríais? ¿Cuál es vuestro programa favorito?**

| CAMBIOS EN LA PROGRAMACIÓN DE *CANAL 10* | | |
|---|---|---|
| ¿Qué suprimirías? | ¿Qué añadirías? | ¿Qué cambios de franja horaria harías? |
| | | |

| PROGRAMACIÓN IDEAL PARA UN DÍA |
|---|
| |

# 3. LOS TELESPECTADORES RECLAMAN

*Leer una carta de queja publicada en un periódico. Reflexionar sobre los recursos empleados para organizar y transmitir información.*

## ANTES DE EMPEZAR

Refiera a sus alumnos a las conclusiones a las que han llegado en la actividad anterior acerca de la programación de Canal 10. Si las conclusiones han sido que la programación no responde a las intenciones originarias, explique que esta es también la opinión de un espectador que, enojado, ha escrito una carta de queja a un periódico. Si las conclusiones son que sí responde a las intenciones en gran medida, explique que hay un espectador que no es de la misma opinión, y un año después del nacimiento de Canal 10, ha decidido expresar su malestar en una carta al director para un periódico.

## PROCEDIMIENTOS

**A.** Pida a sus alumnos que lean la carta y señalen los aspectos que más molestan a su autor. Anímelos a contrastar sus resultados con los de un compañero y haga después una puesta en común en clase abierta.

*Solución*
*El humor de los programas de la cadena es vulgar y ordinario.*

*La calidad de las producciones del público es mala.*
*Hay publicidad encubierta.*
*Algunos programas son inadecuados para la franja horaria en la que se emiten.*

**B.** Pregunte a sus alumnos si están de acuerdo con las opiniones del espectador y si le parecen justificadas sus quejas. Anímelos a discutir en grupos de tres y haga luego una puesta en común en clase abierta.

## Y DESPUÉS

Si ha llevado a clase periódicos y revistas, invite a sus alumnos a localizar en ellos la sección de cartas al director y a buscar aquellas que expresen una queja. Por un lado, pida a sus alumnos que las lean e identifiquen el problema o situación que da lugar a la queja. Por otro, pídales que subrayen las frases o expresiones que utiliza el autor para expresar su crítica. Pídales que centren su atención en el tipo de recursos se suelen utilizar en este tipo de texto (ironía, humor sarcástico, exclamaciones, etc.). Si lo prefiere, puede usted seleccionar algunas cartas al director de antemano y llevarlas ese día a clase.

## MÁS EJERCICIOS
Página 135, ejercicio 2.

## EXPLORAR Y REFLEXIONAR

## 4. ¿PARA QUÉ?
*Reflexionar sobre el uso de Infinitivo o Subjuntivo en oraciones finales introducidas por **para** y **para que**.*

### PROCEDIMIENTOS
**A.** Pida a sus alumnos que lean las frases que tienen a continuación, que identifiquen el sujeto de los verbos en negrita, y que lo anoten en el espacio correspondiente.

*Solución*

| verbo | sujeto |
|---|---|
| 1. pasará | Esteban |
| des | Tú |
| recoger | Esteban |
| | |
| 2. llevaremos | Nosotros |
| ir | Nosotros |
| pueda | Juan |
| | |
| 3. bajó | Ana |
| pudiéramos | Nosotros |
| escuchar | Ana |
| | |
| 4. compró | Luis |
| tener | Luis |
| pudiera | Todos, la gente |

Haga una puesta en común e invite a sus alumnos a deducir con un compañero en qué casos se utiliza **para** y en cuáles **para que**, y explique al final que utilizamos **para** + **Infinitivo** cuando el sujeto del verbo principal y el del verbo subordinado son el mismo, y que utilizamos **para que** + **Subjuntivo** cuando el sujeto del verbo principal y el del verbo subordinado no coinciden.

Remítalos después al apartado *Expresar finalidad: usos de para* de la sección CONSULTAR, en la página 65, y repáselo con ellos.

**B.** A continuación, explique a sus estudiantes que en los siguientes diálogos, dos personas conversan acerca de las causas que han llevado a alguien a realizar una acción determinada. Pídales que los lean y, partiendo de lo visto en el apartado **A**, deduzcan de quién se habla en cada caso. Anímelos a trabajar en parejas. Termine con una puesta en común.

### MÁS EJERCICIOS
Página 136, 3 y 4.

## 5. ¿CUMPLIERON?
*Reflexionar sobre diferentes construcciones temporales. Valorar por escrito si una persona ha cumplido o no una promesa. Recordar el uso del Imperfecto de Subjuntivo en estilo indirecto cuando el verbo introductor está en pasado.*

### OBSERVACIONES PREVIAS
En esta actividad los alumnos van a aludir a promesas de otros utilizando el estilo indirecto. Recuérdeles que, dada la tarea final de la unidad, es importante que comprendan el mecanismo para hacerlo.

### ANTES DE EMPEZAR
Pregunte a sus alumnos si ellos cumplen siempre lo que prometen y anímelos a comentarlo por parejas. Haga después una breve puesta en común y refiéralos al título de la actividad.

### PROCEDIMIENTOS
Explique a sus alumnos que van a leer las promesas que hicieron varias personas y que deberán juzgar, a partir de la información ofrecida, si las cumplieron o no. Lea con ellos el primer ejemplo hasta el final y asegúrese de que lo entienden. Explique entonces que la promesa se expresa en relación a un hecho futuro.

Centre la atención de sus alumnos en la construcción **hasta que cierre** y pregúnteles en qué tiempo y modo verbal se encuentra el verbo (Presente de Subjuntivo). Explíqueles que, tras conectores temporales que se refieren al futuro e introducen una oración subordinada, el verbo aparece en Presente de Subjuntivo. Anímelos a leer el resto de las promesas y a subrayar los conectores temporales y el verbo que los acompaña. Haga una puesta en común en clase abierta y apunte las construcciones en la pizarra:

> **hasta que cierre**
> **en cuanto llegue**
> **cuando me paguen**
> **tan pronto como reciba**

Refiera a sus alumnos al apartado *Construcciones temporales* de la sección CONSULTAR, en la página 64, y repase con ellos el uso de los conectores temporales.

A continuación vuelva al primer ejemplo, pero esta vez pida a sus alumnos que se concentren en la muestra de lengua y en la oración **Antes de que la biblioteca cerrara**. Pregúnteles en qué tiempo y modo se encuentra el verbo (Imperfecto de Subjuntivo) y anímelos a hacer hipótesis sobre el motivo. Explíqueles que, cuando nos referimos a acciones pasadas que en su momento estaban en un plano de futuro (y que hubiéramos expresado con un verbo en

Presente de Subjuntivo), utilizamos el Imperfecto de Subjuntivo. Para aclarar este caso, puede escribir en la pizarra las frases:

**Me quedaré estudiando *hasta que cierre* la biblioteca.**

***Dijo que* se quedaría estudiando *hasta que cerrara* la biblioteca, pero no cumplió: se fue *antes de que cerrara*.**

Recuérdeles que es una transformación que ya conocen del estilo indirecto y refiéralos al apartado *Usos del Imperfecto de Subjuntivo* de la sección CONSULTAR, en la página 65.

Lea con ellos el segundo ejemplo de la actividad haciendo énfasis en el fenómeno explicado y asegurándose de que queda claro. A continuación, anime a sus alumnos a realizar la actividad por parejas y haga después una puesta en común.

*Solución (sugerencia)*
3. No cumplió: *Dijo que le devolvería el dinero en cuanto le pagaran el trabajo; ya ha cobrado pero no ha pagado a Carlos.*
4. Cumplió: *Dijo que compraría las entradas del concierto con antelación por si se agotaban y lo hizo.*
5. No cumplió: *Dijo que llamaría en cuanto recibiera los billetes de avión; los recibió a las 10 h y no llamó hasta las 19.30 h.*

## Y DESPUÉS

Si lo considera necesario, puede realizar la siguiente actividad de sistematización y refuerzo. Facilite a sus alumnos la hoja de trabajo que aparece en la parte inferior de esta página y pídales que, por un lado, clasifiquen las frases según se refieran al pasado, al presente o al futuro, y por otro, completen las columnas restantes.

Por último, pida a sus alumnos que piensen en dos promesas recientes que hayan hecho ellos o alguna otra persona. Pídales que valoren si se cumplieron o no y que

Cuando salgas de casa, apaga las luces, por favor.

Cuando sale de casa, siempre cierra con llave.

Ayer, cuando estaba comiendo, me llamó un antiguo compañero que no veo desde hace veinte años.

Antes, cuando me levantaba, siempre ponía la radio para escuchar las noticias.

Cuando salió de casa, se encontró el paquete.

En cuanto me digan algo, te llamaré.

Esperaré aquí hasta que llegue el autobús.

Tan pronto como sepa algo, te lo diré.

| | Frases | Partícula temporal | Tiempo verbal |
|---|---|---|---|
| **Nos referimos al presente o a algo habitual** | Cuando sale de casa... | | |
| **Nos referimos al pasado** | | | |
| **Nos referimos al futuro** | | | |

redacten frases similares a las de la actividad. Anímelos a incluir toda la información adicional que consideren de interés. Puede poner los siguientes ejemplos:

**La semana pasada le compré un jersey a mi hermana por su cumpleaños, pero no estaba segura de si era su estilo, así que pregunté en la tienda y me dijeron que me devolverían el dinero si no le gustaba el jersey. Cumplieron su promesa: ayer fui y me devolvieron todo el importe.**

**El mes pasado vi el piso perfecto, pero en la inmobiliaria me dijeron que había varias personas interesadas antes que yo. Me dijeron que se pondrían en contacto con los interesados y me llamarían en cuanto supieran si el piso estaba libre o no, pero no lo han hecho hasta ahora.**

Invite a algunos alumnos a leer sus frases y al resto a entregarle las suyas para su corrección fuera del aula.

## MÁS EJERCICIOS
Página 137, ejercicio 8.

## 6. ¡ERES UN DESPISTADO!
*Aprender algunos mecanismos para la formación de adjetivos calificativos y reflexionar sobre su significado.*

### ANTES DE EMPEZAR
Pregunte a sus alumnos con qué adjetivos podrían calificar a una persona que no cumple lo acordado y a otra que sí lo cumple. Para el primer caso, acepte respuestas como: **poco fiable**, **mentiroso**, **olvidadizo**, **poco de fiar**, **poco serio**, **malqueda**, etc. Para el segundo caso: **cumplidor**, **serio**, **de fiar**, **fiable**, etc.

### PROCEDIMIENTOS
**A.** Explique a sus alumnos que en los siguientes diálogos las personas hablan de un tercero. Pídales que los lean y subrayen los adjetivos con que lo califican.

#### Solución
1. Jorge: *caradura (negativo)*
2. Marcos: *ingenuo (negativo)*

Pregúnteles si creen que son positivos o negativos y si conocen su significado. En caso negativo, anímelos a hacer hipótesis a partir del contexto. A continuación, pregúnteles qué adjetivos podrían emplear si no quisieran hablar negativamente de esa persona. Anímelos a pensar en adjetivos similares por parejas, utilizando el diccionario en caso necesario. Para calificar a Jorge, acepte, por ejemplo, **despistado**. Para calificar a Marcos acepte adjetivos similares a **confiado**.

**B.** Dirija ahora la atención de sus alumnos a la lista de adjetivos y explíqueles que todos ellos se pueden utilizar para expresar un juicio negativo sobre una persona. Pregúnteles si conocen su significado. Anime a sus alumnos a formar parejas para buscar el significado de uno de los adjetivos y a pensar cuál puede ser su opuesto. Haga después una puesta en común.

A continuación, pídales que se fijen de nuevo en la lista del libro e intenten clasificarlos en categorías atendiendo a cómo se forman. Anímelos, además, a ampliar la lista de adjetivos con otros que ellos conozcan y haga una puesta en común en clase abierta.

#### Solución

| des- | in-, im-, i- |
|---|---|
| *desconsiderado/a* | *irresponsable* |
| *desordenado/a* | *impresentable* |
| *desorganizado/a* | *inconsciente* |
| *desmotivado/a* | *incompetente* |
| *desaconsejable* | *impaciente* |
| *despistado/a* | *ingenuo* |

**compuestos**
*rompecorazones*
*caradura*

Explique que, al añadirles los prefijos **des-** o **in/im/i-**, muchos adjetivos toman un valor negativo (aunque no todos: **desenfadado**, **despreocupado**, **inconfundible**, **insobornable**, **impecable**, etc.). En principio, los adjetivos toman el significado contrario al original, aunque a veces no es exactamente el contrario. En otros casos no existe un adjetivo igual sin el prefijo **des-**, como en el caso de **despistado**. Por último, explique que los adjetivos del tercer grupo son compuestos formados por verbo + sustantivo o sustantivo + adjetivo y remítalos al apartado *Formación de calificativos* de la sección CONSULTAR, en la página 65.

**C.** Explique a sus alumnos que en las frases siguientes se ofrecen contextos en los que deben utilizar uno de los adjetivos del apartado **B**. Adviértalos de que puede haber más de una solución correcta.

#### Solución
1. *despistado/irresponsable/inconsciente*
2. *desconsiderado/impaciente*
3. *impresentable/caradura*
4. *irresponsable/despistado*

### Y DESPUÉS
Pida a sus alumnos que, en parejas, inventen un contexto como los de este apartado para cualquiera de los adjetivos que se han tratado en la actividad y que lo escriban en un papel dejando un espacio libre donde debería aparecer el adjetivo. Recoja luego los papeles, redistribúyalos entre sus estudiantes y pida a cada pareja que lea en voz alta el contenido del que le ha tocado. Los demás intentarán adivinar qué adjetivo encaja en el espacio.

# 7. EXCUSAS

*Conocer algunos recursos que sirven para excusarse o justificarse.*

## ANTES DE EMPEZAR

Retome el diálogo 1 de la actividad 6 y pida a sus alumnos que imaginen que son Jorge. Pregúnteles qué excusa darían o cómo se justificarían ante Marta o Luisa la próxima vez que las vieran. Anote sus respuestas en la pizarra. Comente que cuando nos justificamos, nuestro interlocutor puede aceptar nuestra explicación o rechazarla. Pregunte si creen que Marta o Luisa aceptarían la justificación que ofrece Jorge.

## PROCEDIMIENTOS

**A.** Explique a sus alumnos que los diálogos representan situaciones similares: una persona recrimina o acusa levemente a otra y esta se excusa o justifica. Pídales que los lean y marquen si las excusas son aceptadas o rechazadas.

*Solución*

*1. x          2. +          3. +          4. x*

**B.** A continuación, pídales que se fijen en las estructuras que aparecen marcadas en negrita en las frases del apartado **A** y completen el esquema con los tiempos verbales que suelen acompañarlas.

*Solución*

*no es que* + *Imperfecto de Subjuntivo*
*sino que* + *Indicativo*
*es que* + *Indicativo*
*solo* + *Indicativo*

Explique que se trata de conectores con los que se retoma y corrige la afirmación del interlocutor para añadir después una explicación.

## Y DESPUÉS

Pídales que observen las frases que utilizaron para excusarse como Jorge y las comparen con las de esta actividad. Anímelos a transformarlas utilizando estos conectores y a representar por parejas el diálogo entre Jorge y una de sus dos amigas. Recuérdeles que quien interprete a Marta o Luisa tendrá que decidir si acepta o rechaza la justificación. Anímelos a hacer lo mismo con el diálogo 2 de la actividad 6 y, si lo considera conveniente, con las situaciones 2 y 3 del apartado **C** de esa misma actividad.

# 8. ¿QUERIENDO?

*Familiarizarse con recursos para expresar la intencionalidad o la involuntariedad de una acción, sean locuciones adverbiales de modo u oraciones pronominales.*

## PROCEDIMIENTOS

Refiera a sus alumnos a la fotografía y pregúnteles **¿qué creéis que le sucede a esta persona? ¿Con qué** adjetivos podríais calificar su expresión? (**asombrado, preocupado, asustado, alucinado, sorprendido,** etc.). A continuación, explique a sus alumnos que en el texto se cuenta qué le sucede a Álvaro y qué opinan sus compañeros de grupo de la situación. Pídales entonces que lean las frases de la derecha y marquen a qué opinión corresponden.

*Solución*
*Lo ha hecho sin darse cuenta: 2*
*Lo ha hecho adrede: 1*
*Lo ha hecho queriendo: 1*
*No lo ha hecho a propósito: 2*
*Lo ha hecho sin mala intención: 2*

Puede animar a los estudiantes a añadir las nuevas expresiones para describir acciones a las que ya vieron en la unidad 5.

## Y DESPUÉS

Explique que en español hay muchas formas de expresar la intencionalidad y la involuntariedad de una acción. Remita a sus alumnos al apartado *Expresar la intencionalidad o la involuntariedad de una acción* de la sección CONSULTAR, en la página 65.

Añada que, además de las expresiones que aparecen en el apartado, también se puede expresar la involuntariedad como en el ejemplo, mediante una oración pronominal. Explique que las oraciones **Tiró la tarta al suelo sin querer** y **Se le cayó la tarta** tienen significados muy similares. Refiera a sus alumnos en este momento al apartado *Expresión de la involuntariedad: uso de los pronombres* de la misma sección.

## MÁS EJERCICIOS
Página 137, ejercicio 7.

## PRACTICAR Y COMUNICAR

# 9. TE PEDÍ QUE LO HICIERAS

*Representar un diálogo entre dos amigas en el que una recrimina a la otra no haber hecho lo que le pidió, mientras la otra se justifica.*

## PROCEDIMIENTOS

Escriba en la pizarra la frase **Te pedí que lo hicieras** y pregunte a sus alumnos en qué situaciones podrían decir algo así. Es probable que alguno mencione que se puede tratar de un reproche que una persona hace a otra que no ha llevado a cabo lo que la primera le pidió. Si no lo hacen, introduzca usted esta situación y explique que es la que plantea la actividad, en este caso entre dos compañeras de piso, Marta y Raquel. Pida a sus alumnos que lean los recados que le dio Marta a Raquel y la situación actual.

A continuación, pídales que formen parejas y escojan uno de los dos papeles. Concédales unos minutos para pensar qué dirían en cada una de las situaciones (justificaciones, excusas, calificaciones, etc.), durante los cuales deberán tomar notas esquemáticas de sus ideas. Lea después con ellos la muestra de lengua y pídales que representen un diálogo similar basándose en las notas que han tomado. Paséese por la clase mientras representan el diálogo. Por último, anime a unas cuantas parejas a representarlo ante el resto de la clase.

## 10. HECHOS EXTRAÑOS
*Formular hipótesis acerca de los motivos que pueden haber llevado a alguien a tomar una decisión.*

### PROCEDIMIENTOS
**A.** Llame la atención de sus alumnos sobre el dibujo y pregúnteles: **¿qué está haciendo esta mujer? ¿Os parece un hecho extraño? ¿Cuál puede ser el motivo?** Anote las respuestas en la pizarra.

Explique a continuación que van a leer tres casos de decisiones aparentemente extrañas y pida a sus alumnos que, en grupos de tres, formulen hipótesis acerca del motivo que puede haber llevado a estas personas a tomar esa decisión. Haga después una puesta en común para escoger las hipótesis más verosímiles.

**B.** Invite ahora a sus alumnos a pensar, de nuevo por parejas o agrupados de tres en tres, en otras dos posibles situaciones extrañas y a escribirlas en un papel. Recoja los papeles y redistribúyalos por la clase, teniendo cuidado de que ningún grupo reciba su propio papel. Cada grupo deberá pensar en posibles intenciones y finalidades para esas dos situaciones. Termine con una puesta en común en clase abierta.

### Y DESPUÉS
Pregunte a sus alumnos si alguna vez han tomado una decisión aparentemente extraña que tuvieran que explicar. Interésese por las causas y la finalidad de esas decisiones.

### MÁS EJERCICIOS
Página 137, ejercicios 5 y 6.

## 11. PUBLICIDAD ¿ENGAÑOSA?
*Leer una serie de anuncios y comentar las expectativas que generan.*

### ANTES DE EMPEZAR
Lea a sus alumnos el título de la actividad y pregúnteles: **¿sabéis qué es la publicidad engañosa? ¿Os han engañado alguna vez con la publicidad?**

### PROCEDIMIENTOS
**A.** Explique a sus alumnos que algunas personas se toman los mensajes publicitarios **al pie de la letra**. Escriba esta expresión en la pizarra, explíquela, si es necesario, y ofrezca algunos sinónimos como **literalmente** o **a pies juntillas**. Pídales que lean los anuncios que hay a continuación y valoren si podrían considerarlos publicidad engañosa. Pregúnteles qué falsas expectativas podrían generar en cada caso. Deje que lo comenten en parejas o pequeños grupos y haga después una puesta en común.

**B.** Explique a sus alumnos que van a escuchar el testimonio de Paco, un chico que se apuntó al gimnasio Atenas animado por su publicidad y que ahora se siente engañado. Pídales que escriban los motivos que aduce.

*Solución*
*Paco se apuntó al gimnasio para hacer amigos y conocer a otras personas pero:*
*-nadie habla con nadie*
*-la gente lleva auriculares y no se relaciona con los otros*
*-los chicos de la recepción son antipáticos: no ayudan ni informan*
*-no se organizan actividades sociales, fiestas o salidas de fin de semana, como hacen otros centros.*

Pregunte a sus alumnos si están de acuerdo con los argumentos de Paco y pídales que, por parejas, imaginen qué respuesta le darían. Haga una puesta en común.

**C.** Pida a sus alumnos que, en parejas, escojan un anuncio. Uno de ellos deberá pensar en un motivo por el cual podría sentirse engañado y su compañero deberá ponerse en la situación de la empresa. Anímelos a representar el diálogo.

## 12. LA GRAN FINAL
*Leer un texto acerca de un concurso de televisión y decidir si querrían participar en él. Hacer una serie de recomendaciones a dos concursantes que participan en un concurso de televisión cuyo objetivo es cambiar de vida.*

### OBSERVACIONES PREVIAS
Esta actividad y la siguiente forman un solo bloque, por lo que le recomendamos realizarlas en la misma sesión.

### ANTES DE EMPEZAR
Propicie una breve charla sobre el género televisivo conocido como *reality show*. Para ello, pregunte a sus alumnos: **¿sabéis qué son los *reality show*? ¿Hay alguno famoso en vuestro país? ¿Lo veis o habéis visto alguno? ¿Qué opinión tenéis sobre este tipo de programas?**

### PROCEDIMIENTOS
**A.** Explique a sus alumnos que en el texto aparece una descripción de un programa de este estilo: *Quien cumple, gana*. Pídales que lean el texto con atención y subrayen las informaciones más relevantes para decidir si querrían

| | ANABEL | | |
|---|---|---|---|
| COMPROMISO | | CUMPLIDO | INCUMPLIDO |
| Ir a clases de solfeo y acordeón. Ensayar dos horas diarias. | | | |
| Cuidar tres peces tropicales. | | | |
| Leer dos libros en seis meses. | | | |
| Preparar comida sana y comer de forma relajada. | | | |
| Salir solo dos días a la semana y dormir ocho horas. | | | |

| | SERGIO | | |
|---|---|---|---|
| COMPROMISO | | CUMPLIDO | INCUMPLIDO |
| Hacer excursiones. | | | |
| Ir a clases de baile. | | | |
| Nuevo vestuario. | | | |
| Salir con amigos. | | | |
| Romper con la rutina. | | | |
| Hablar con más personas. | | | |
| Sonreír mientras habla. | | | |

participar en un concurso de ese tipo. Si lo considera conveniente, puede ofrecerles las siguientes preguntas como guía para la lectura.

**¿En qué consiste el concurso?**
**¿Cuántos participantes hay?**
**¿Cómo se decide el ganador?**
**¿Cuál es el premio?**

**B.** Explique que los concursantes del programa son Sergio y Anabel. Pida a sus alumnos que lean sus perfiles y, en grupos de tres personas, elaboren una lista de medidas que podrían tomar los concursantes para cambiar de vida y añadan la finalidad de cada una.

# 13. QUIEN CUMPLE, GANA
*Simular la final de un concurso de televisión en la que dos concursantes defienden su candidatura al primer puesto y un jurado emite y justifica su veredicto.*

### OBSERVACIONES PREVIAS
En el apartado **C** de esta actividad sus alumnos elaborarán un "producto" que pueden incluir en su Portfolio.

## PROCEDIMIENTOS
**A.** Explique a sus alumnos que a continuación van a poder comparar sus listas con las que hicieron los amigos y los psicólogos. Pídales que las comparen para ver si coinciden en algunas recomendaciones. A continuación, pregúnteles su opinión por las medidas apuntadas e invítelos a escoger las cinco mejores para cada concursante. Al final, haga una puesta en común para elegir entre todos las cinco medidas más interesantes para cada concursante.

**B.** Explique a sus alumnos que van a escuchar a los testigos hablando sobre los concursantes para que el jurado valore hasta qué punto han cumplido los compromisos contraídos. Facilíteles la tabla de más arriba y pídales que la vayan completando mientras escuchan.

**C.** Explique a sus alumnos que van a emitir un veredicto final para decidir quién de los dos concursantes ha cumplido mejor sus promesas. Explique el procedimiento que deben seguir: anime a sus alumnos a que escojan a dos personas que interpreten el papel de Sergio, por un lado, y Anabel, por otro. Cada concursante deberá tener un ayudante, que podrá designar él mismo. El resto actuará como jurado. Invite a los dos alumnos que hacen de concursantes y a sus ayudantes a salir de la clase para preparar un discurso en defensa de su candidatura al premio. Mientras tanto, el jurado permanecerá en clase y discutirá quién ha cumplido mejor sus promesas. Mientras el jurado discute, usted puede salir para ayudar a los concursantes.

Transcurridos unos diez minutos, invite a los concursantes a entrar en la clase y a hacer su discurso final. Al finalizar las intervenciones, invite a los concursantes a abandonar de nuevo la clase y propicie una discusión entre los miembros del jurado para llegar a una decisión final, que no deberá ser unánime, sino por mayoría. Entre todos deberán elaborar un veredicto final y una justificación del mismo. Si lo considera conveniente, puede preparar un premio simbólico para el concursante ganador (algo que haya traído de casa, un diploma elaborado por usted, etc.) y entregárselo cuando se emita el veredicto.

## MÁS CULTURA

## LA TELEVISIÓN

### PROCEDIMIENTOS

**A.** Plantee a sus alumnos la pregunta de la actividad: **¿Qué tiene de bueno y de malo la televisión?** Pida a sus alumnos que anoten sus argumentos individualmente, y después, anímelos a que los comenten con otros dos compañeros. Pídales que entre los tres lleguen a una lista común y a que la expongan al resto de la clase. Intente fomentar un debate a partir de las posibles discrepancies entre los grupos.

**B.** Pida a sus alumnos que lean los textos de Eduardo Galeano y de Vicente Verdú para conocer la opinión de ambos escritores con respecto a la televisión. Para ello, divida la clase en dos mitades. Asigne a los alumnos de una mitad la lectura individual de los textos de Galeano (a la izquierda), y a los de la otra, la de los textos de Verdú (a la derecha). Pídales que, mientras leen, anoten los argumentos nuevos.

A continuación, pida a los alumnos de una mitad que busquen a un compañero de la otra para formar parejas. Anime a cada alumno de la pareja a compartir los argumentos encontrados y a opinar sobre ellos. Por último, haga una puesta en común en clase abierta.

### Y DESPUÉS

Si se ha producido un debate sobre la televisión, puede ampliarlo al papel de otros medios de comunicación (radio, prensa y nuevas tecnologías). Puede hacer preguntas como: **¿qué otros medios de comunicación os parecen importantes? ¿Qué similitudes y diferencias encontráis con la televisión? ¿Creéis que está cambiando su influencia con la aparición de las nuevas tecnologías y de internet?** etc.

# LUGARES CON ENCANTO

Remita a sus alumnos al título de la actividad y pídales que describan un lugar con encanto (si es necesario, explique el significado de **tener encanto**). Apunte en la pizarra sus respuestas y luego centre su atención en la fotografía (se trata de la ciudad medieval de Besalú, en Girona). Anímelos a conversar con un compañero en torno a las siguientes cuestiones:

¿crees que este lugar tiene encanto? ¿Por qué? ¿Puedes nombrar algún lugar que tenga encanto para ti? Haga una puesta en común en clase abierta.

Para finalizar, presente los objetivos de la unidad y la tarea final: escribir un texto poético sobre la ciudad donde estudian español.

## COMPRENDER

### 1. DOS CIUDADES
**Leer dos textos sobre dos ciudades y asociar diferentes títulos a cada uno. Hablar sobre ciudades.**

#### OBSERVACIONES PREVIAS
Puede buscar más fotografías de Cádiz y de La Habana y mostrarlas a la clase después de que los alumnos hayan realizado la lectura de los textos (apartado **C**).

#### PROCEDIMIENTOS
**A.** Invite a sus alumnos a mirar las dos fotografías y a formular hipótesis acerca de las ciudades que representan. Comenten también las similitudes y diferencias que observan entre las dos ciudades. Puede animarlos a reflexionar sobre el origen de esas similitudes (que se tratarán de nuevo en la actividad 2 al leer sobre dos ciudades coloniales).

**B.** Deje que los alumnos lean la solución y que comenten lo que les sorprenda o llame la atención. Pregúnteles si el conocer la solución modifica las hipótesis formuladas en el apartado **A** acerca de las similitudes entre ambas ciudades. Anímelos a formar pequeños grupos para intercambiar la información que tengan sobre ellas, tanto si las han visitado como no. Haga luego una puesta en común.

**C.** Explique que, a continuación, van a leer dos textos sobre Cádiz y La Habana, respectivamente, y a asociarlos con los títulos correspondientes. Pero antes, centre la atención de sus alumnos en los títulos y anímelos a reflexionar sobre ellos. Pregunte: **¿cómo debe de ser la ciudad a la que se refiere cada título?** Pida que comprueben sus hipótesis con la lectura de los textos.

*Solución*
1. Encrucijada de culturas
1. Un balcón al mar

2. Majestuosa decadencia
2. Una ciudad con mil caras
2. Extrema austeridad

Pregunte a sus alumnos si perciben en qué registro están escritos estos textos: **¿es culto o coloquial?** Explique que se corresponden con el primero y reparta las fichas que aparecen en la parte inferior de esta página. Pídales que busquen en los textos las expresiones que aparecen subrayadas en las fichas y que piensen en una expresión alternativa más esperable en un registro coloquial. A modo de ejemplo, puede ofrecerles una posibilidad de transformación para la primera frase extraída del texto 1 (aportaron su manera de ser y su cultura) Anímelos a trabajar en parejas y a utilizar el diccionario en caso necesario.

**D.** Pida a sus alumnos que formen grupos de tres y explique que cada uno de ellos va a preparar individualmente una breve descripción de una ciudad que conozca. Sus compañeros de grupo deberán adivinar de qué ciudad se trata. Remítalos a la muestra de lengua y ofrézcales un ejemplo si lo considera conveniente.

**E.** Pida a sus alumnos que piensen en su ciudad y en un título que pudiera encabezar un texto sobre ella. Pídales que lo escriban y lo comenten con sus compañeros. De nuevo, puede comenzar usted escogiendo un título para la ciudad donde están estudiando español.

#### MÁS EJERCICIOS
Página 138, ejercicio 1.

---

**Texto 1**

1. <u>dejaron su impronta cultural</u>

2. <u>se hace con el monopolio del comercio de ultramar</u>

3. Otra característica de la <u>fisionomía gaditana</u>

4. Una de las más <u>emblemáticas</u> de la ciudad

5. <u>Importante legado histórico</u>

**Texto 2**

1. <u>las embestidas de ciclones y tormentas</u>

2. <u>Es el escenario de los besos y abrazos de los enamorados</u>

3. Desde el malecón <u>se divisa</u> la fortaleza

4. <u>que custodia</u> la entrada al puerto

5. ni los temporales ni la falta de medios <u>han podido arrebatarle</u> su encanto

# EXPLORAR Y REFLEXIONAR

## 2. CIUDADES COLONIALES

*Leer dos textos sobre dos ciudades coloniales. Reflexionar sobre el uso de las partículas relativas (el/la/los/las) que, el cual/la cual/los cuales/las cuales, quien/quienes, cuyo/cuya/cuyos/cuyas y donde.*

### OBSERVACIONES PREVIAS

El término **ciudad colonial** se refiere a las ciudades fundadas por las metrópolis en sus colonias, por lo general imitando el estilo urbanístico y arquitectónico del país colonizador. En esta actividad nos referimos en concreto a las ciudades fundadas por los españoles en América durante su colonización (desde finales del siglo XV hasta principios del siglo XIX).

### ANTES DE EMPEZAR

Traiga a clase fotografías de ciudades de Latinoamérica entre las que se encuentren algunas ciudades coloniales, por ejemplo, Antigua, en Guatemala, San Cristóbal de las Casas, en México, La Serena, en Chile, Cartagena de Indias, en Colombia, o Potosí, en Bolivia. Pregunte a sus alumnos: **¿alguno de vosotros sabe qué es una ciudad colonial? ¿Conocéis alguna?** A continuación, muestre las fotografías y anímelos a intentar reconocer aquellas que podrían ser ciudades coloniales y a justificar sus hipótesis en grupos de cuatro. Haga, después, una puesta en común para llegar a establecer una serie de características compartidas por las distintas ciudades coloniales.

Dirija ahora la atención de sus alumnos a la lista de adjetivos y expresiones de la página 72 y pídales que los clasifiquen en tres grupos: los positivos, los negativos y los neutros. Anímelos a contrastar su clasificación con la de un compañero y haga después una puesta en común. Resuelva las posibles dudas de vocabulario que surjan. Tenga en cuenta que se harán distintas clasificaciones, dependiendo del punto de vista de cada alumno.

#### Solución (sugerencia)

| Positivos | Negativos | Neutros |
|---|---|---|
| señorial | peligrosa | vieja |
| ordenada | caótica | histórica |
| monumental | gris | lejana |
| antigua | decadente | especial |
| elegante | | anclada en el pasado |
| animada | | industrial |
| llena de vida | | aislada |
| una joya | | remota |
| limpia | | |
| llena de color | | |
| un encanto | | |
| bien conservada | | |
| un goce para los sentidos | | |
| atractiva | | |

### PROCEDIMIENTOS

**A.** Explique a sus alumnos que los textos que aparecen a continuación describen dos ciudades coloniales: Antigua, en Guatemala, y San Cristóbal de las Casas, en México. Pídales que lean los textos y asignen a cada uno aquellos adjetivos y expresiones que les parezcan adecuados a cada ciudad. Acepte todas las respuestas lógicas, siempre que estén justificadas.

#### Solución (sugerencia)

Antigua: *señorial, ordenada, monumental, antigua, elegante, histórica, una joya, limpia, llena de color, especial, con encanto, bien conservada, un goce para los sentidos.*

San Cristóbal de las Casas: *histórica, animada, lejana, llena de vida, atractiva, una joya, un goce para los sentidos.*

**B.** A continuación, dirija la atención de sus alumnos a la primera frase del texto sobre Antigua, en concreto, a la expresión **a lo largo de las cuales** y pregúnteles si saben a qué palabra se refiere **las cuales**. Anímelos a leer de nuevo los dos textos fijándose en las expresiones marcadas en negrita y a detectar a qué palabras se refieren.

#### Solución

| | |
|---|---|
| *a lo largo de las cuales:* | *las calles* |
| *cuyo:* | *sus edificios* |
| *por las que:* | *las características* |
| *a los que:* | *los habitantes de Antigua* |
| *en los que:* | *sus puestos* |
| *desde los cuales:* | *tres volcanes* |
| | |
| *para quienes:* | *(en este caso, el antecedente está implícito) las personas* |
| *por los cuales:* | *los nombres* |
| *en honor al cual:* | *Fray Bartolomé de las Casas* |
| *cuya:* | *Alberto Domínguez Borraz* |
| *donde:* | *mercados* |
| *cuya:* | *el estad de Chiapas* |

Pida a sus alumnos que vuelvan a leer los textos fijándose en cómo se usan las partículas en ellos, y anímelos a completar la regla marcando la opción correcta. Adviértalos de que en algunos casos habrá más de una opción correcta.

#### Solución

*Usamos el/la/los/las que detrás de preposición para referirnos a personas, lugares y cosas.*
*Usamos el/la/los/las cual/cuales detrás de preposición para referirnos a personas, lugares y cosas.*
*Usamos quien/quienes para referirnos a personas.*
*Usamos cuyo/a cuyos/as para referirnos a cosas o características de personas, lugares y cosas.*

Remita a sus alumnos al apartado *Partículas relativas* de la sección CONSULTAR, en las páginas 74 y 75. Haga hincapié en el uso del pronombre **que** para referirse tanto a personas como a objetos o lugares, ya que en muchas lenguas se utilizan pronombres de relativo diferentes según el antecedente al que se refieren.

## MÁS EJERCICIOS
Página 138, ejercicios 2 y 3.
Página 140, ejercicio 6.

## 3. LA PARTE DEL TODO
*Observar la diferencia de significado entre las oraciones de relativo especificativas y las explicativas.*

### PROCEDIMIENTOS
Muestre a sus alumnos las imágenes que aparecen más abajo y las frases que las acompañan.

Si tienen dificultades para ver la diferencia entre ellas, puede preguntarles en cuál de las dos frases se podría suprimir la oración de relativo **que están encima de la mesa** sin que se produjera un cambio de significado. Diga que se podría eliminar en la primera ya que, si se suprimiera en la segunda, pensaríamos que los tres ramos de flores son para Malena.

A continuación, pida a sus alumnos que observen las oraciones de la actividad y que marquen qué interpretación corresponde a cada una.

### Solución
1. *b* Solo hay una iglesia en el pueblo.
   *a* Puede haber más de una iglesia en el pueblo.
2. *a* Todos los hombres iban con traje.
   *b* Había otros hombres que sí fueron admitidos.

3. *a* Todos los trabajadores empezaron en 2000 y recibirán un aumento.
   *b* Algunos trabajadores empezaron a trabajar en 2000.
4. *b* Todos los estudiantes llegaron pronto.
   *a* Algunos estudiantes llegaron pronto.

Pida a sus alumnos que vuelvan a leer los ejemplos y marquen, en cada caso, qué frases relativas aportan una información necesaria para distinguir el antecedente al que se refieren entre un grupo de elementos (**especificativas**) y cuáles aportan simplemente una información adicional que se podría suprimir (**explicativas**). A continuación, remítalos al título de la actividad y aclárelo: las oraciones especificativas se refieren a una parte del todo y las explicativas, al todo. Por último, refiéralos al apartado *Oraciones de relativo* de la sección CONSULTAR, en la página 74.

## 4. ME QUEDÉ ALUCINADA
*Leer las expectativas e impresiones de varias personas sobre una ciudad y contrastarlas con las propias. Aprender recursos para hablar de ideas previas y expectativas.*

### PROCEDIMIENTOS
**A.** Remita a sus alumnos al título de la actividad y pregúnteles si conocen el significado de la expresión. En caso negativo, aclárelo. Si lo considera conveniente, puede remitirlos en este momento al apartado *Hablar de sentimientos* de la sección CONSULTAR, en la página 75. Explique entonces que es el comentario que hace una persona que ha viajado a Nueva York. Anímelos a hacer hipótesis acerca de las razones que pueden haberla llevado a decir esto con respecto a esa ciudad. Aclare a sus alumnos que no es necesario que hayan estado allí, ya que

Las flores, que están encima de la mesa, son para Malena.

Las flores que están encima de la mesa son para Malena.

seguramente la han visto a menudo en el cine y han oído muchas cosas sobre ella.

Luego, explique a sus alumnos que van a leer los testimonios que diversas personas han colgado en una página web sobre viajes. Todos ellos hacen referencia a la ciudad de Nueva York. Pídales que los lean y que, en grupos pequeños, comenten qué les sorprende, extraña, decepciona, etc. de esas opiniones. Puede ofrecerles un ejemplo con respecto al primer comentario:

**Yo pensaba que iba a encontrar mucho tráfico y ruido, pero me pareció una ciudad bastante tranquila.**

> Ah, pues yo creía también que Nueva York es muy ruidosa y que tiene un tráfico horrendo. En las películas aparecen siempre atascos y además he oído que todo el mundo se mueve en coche en Estados Unidos.

Haga después una puesta en común en clase abierta.

A continuación, dirija su atención a las expresiones que aparecen marcadas en amarillo y aclare que se trata de recursos para expresar expectativas que se tenían en el pasado. Pídales que las clasifiquen en dos grupos: aquellas en las que el hablante recuerda un momento anterior a la visita y aquellas en las que el hablante se sitúa durante o después de esta. Una vez hecha la clasificación, pídales que añadan, entre paréntesis, la forma verbal que acompaña a las expresiones en el texto.

*Solución*

**Antes de la visita**
*(Yo) pensaba que (iba a encontrar)*
*(Yo) esperaba que (iba a poder disfrutar)*
*(Yo) tenía la idea de que (había)*
*Me habían dicho que (era)*
*(Yo) había leído*
*(Yo) había oído que (había)*
*(Yo) esperaba (encontrar)*

**Durante o después de la visita**
*Me sorprendió (ver)*
*Me decepcionó (no ver)*
*Me sorprendió que (hubiera/fuera)*
*No tenía ni idea de que (fueran)*
*Me defraudó*
*Me extrañó que (funcionara)*
*No esperaba que (hubiera)*
*Me quedé alucinada de (se escucha)*

Hágales ver que, en el caso de las expresiones clasificadas como **Antes de la visita**, el verbo introductor aparece en en Imperfecto o bien en Pluscuamperfecto de Indicativo, mientras que en el caso de las expresiones clasificadas como **Durante o después de la visita**, el verbo introductor aparece en Indefinido.

Anímelos ahora a inducir, a partir de los ejemplos, una regla de uso de las formas verbales al hablar de ideas previas o expectativas. Invítelos a trabajar con un compañero. Luego remítalos al apartado *Hablar de ideas previas o expectativas* de la sección CONSULTAR, en la página 75, para ver nuevos ejemplos y corroborar sus hipótesis con su ayuda y la del resto de la clase. Muéstreles que, además del Imperfecto de Indicativo, se usa el Condicional después del verbo introductorio en Imperfecto de Indicativo. Hágales notar que, si el Imperfecto de Indicativo está en forma negativa, a continuación se puede añadir el Indicativo o bien el Subjuntivo. Por su lado, el Indefinido exige Imperfecto de Subjuntivo o bien frases sustantivas.

**B.** Pídales ahora que piensen en alguna ciudad que hayan visitado y recuerden bien, y que piensen en las expectativas que tenían antes de visitarla y sus impresiones posteriores. Anímelos a fijarse en la muestra de lengua para ello. Concédales unos minutos para recordar las experiencias individualmente y anímelos, después, a comentarlas en pequeños grupos. Anime a sus alumnos a interesarse por los comentarios de sus compañeros sobre otras ciudades y a conversar libremente sobre las expectativas e impresiones que les produjeron.

# 5. PARTICIPIOS

*Conocer y utilizar los participios en función de adjetivo. Familiarizarse con la voz pasiva.*

## ANTES DE EMPEZAR

Escriba en la pizarra los siguientes infinitivos: **fundar**, **diseñar**, **declarar**, **convertir**, **exponer**, **construir**. Pregunte a sus estudiantes cuáles son los participios de estos infinitivos y escríbalos al lado según los vayan diciendo. Repase, si es necesario, la formación de los participios regulares e irregulares. Explique a sus alumnos que los participios pueden funcionar como adjetivos, y que, en ese caso, concuerdan en género y número con el sustantivo al que se refieren. Forme los femeninos y los plurales de los participios anteriores y escríbalos.

## PROCEDIMIENTOS

**A.** Explique a sus alumnos que el cuadro de la derecha contiene informaciones sobre seis ciudades españolas, pero en todas ellas falta un participio. Pídales que completen las frases con el participio correspondiente.

*Solución*
a. *fundada*
b. *diseñada*
c. *declarada*
d. *expuestas*
e. *construidos*
f. *convertida*

Si lo considera conveniente, puede traer a clase fotografías de las ciudades que se nombran en las que aparezcan las características descritas y animar a sus alumnos a relacionarlas con las informaciones correspondientes.

Remítalos al apartado *Participios* de la sección CONSULTAR, en la página 75, y explíqueles que las oraciones que aparecen son ejemplos de voz pasiva. Explique que la pasiva es un recurso del hablante para transformar uno de los complementos de un verbo en su sujeto gramatical. Esto se hace a menudo por motivos de coherencia del discurso, cuando ya se ha contextualizado el elemento que se convierte en sujeto, para no romper con lo que precede o, simplemente, porque no interesa hablar del sujeto del verbo. Explique los dos tipos de voz pasiva que existen.

1.Pasiva de proceso:
Se habla del proceso que sufre el sujeto y se utiliza casi exclusivamente en textos periodísticos, relatos de Historia, etc. Se forma con el verbo **ser** + Participio Pasado, que concuerda con el sujeto en género y número.

Remita a sus alumnos a los ejemplos del libro: **La Iglesia fue construida en el siglo XII; Esos edificios fueron diseñados por Gaudí; Las señales fueron colocadas hace menos de un mes**.

2.Pasiva de resultado:
No interesa el proceso, sino el resultado de este. Su uso está mucho más extendido. Se forma con el verbo **estar** + Participio Pasado, que concuerda con el sujeto en género y número.

Puede poner la frase del libro como ejemplo: **El hotel está situado frente a la playa**.

**B.** Pida a sus alumnos que piensen en lugares de su ciudad o de otras que conozcan y formen frases como las del apartado **A** utilizando los participios en función de adjetivo. Termine con una puesta en común en clase abierta.

## MÁS EJERCICIOS
Página 139, ejercicio 4.

## 6. TU ESTRELLA PERSONAL
*Hacer preguntas a un compañero para averiguar con qué información de su vida personal están relacionados unos datos determinados.*

## OBSERVACIONES PREVIAS
Es posible que sus alumnos ya conozcan una variante de esta actividad, quizá realizada en otro momento para presentarse o hablar sobre sus gustos. De todas maneras, tómese el tiempo necesario para explicar el procedimiento.

## ANTES DE EMPEZAR
Pida a sus alumnos que preparen un trozo de papel de unos 5 x 10 cm.

## PROCEDIMIENTOS
Asegúrese de que sus alumnos tienen el libro cerrado y dibuje una estrella en la pizarra. Escriba en una de sus puntas el año en el que terminó sus estudios (puede ser real o ficticio) y anime a sus alumnos a averiguar a qué se refiere la fecha de manera que se genere un diálogo similar al siguiente:

- • 1993 es el año en el que...
- ○ ¿Es el año en el que te casaste?
- • No
- ◻ ¿Que te fuiste a Estados Unidos?
- ○ Tampoco. Me fui en el 96.
- ■ Mmm, ya sé. Es el año en el que acabaste la carrera.
- • ¡Exacto!

Explíqueles que van a trabajar por parejas y que cada alumno de la pareja debe completar su estrella con información personal. Para ello pida a sus alumnos que formen parejas y que cada uno decida si va a ser el alumno A o el B. Pídales que abran el libro y que cubran la información que no les corresponde con el trozo de papel.

Pida a sus alumnos que primero completen individualmente la estrella según las instrucciones que aparecen en la actividad, y que hagan después preguntas a su compañero para averiguar a qué se refieren sus datos. Anímelos a utilizar las estructuras de relativo en las preguntas y a conversar libremente sobre todo aquello que les llame la atención. Vaya paseando por los grupos y para resolver posibles dudas.

## Y DESPUÉS
Puede escribir cuatro o cinco datos sobre usted y animar a los alumnos a hacer suposiciones sobre ellos.

## 7. YO FUI A...
*Escuchar a tres personas hablando sobre una ciudad y completar un cuadro sobre sus experiencias y opiniones. Hablar de ciudades que han visitado.*

## PROCEDIMIENTOS
**A.** Explique a sus alumnos que van a escuchar a tres personas hablando de una ciudad que han visitado. Pídales que completen el cuadro.

*Solución*
1. *Nueva York*
   *Le gustó.*
   *Por un lado es muy familiar, y por otro es muy diferente al resto de ciudades que conocía. Le sorprendió el tamaño, todo es grande. Lo que más le gustó fue el ritmo de la ciudad: rápido, ágil.*

## 7

2. *París*
   *Le gustó mucho.*
   *Siempre había querido ir a París, pero estando enamorado, y lo consiguió. Pudo recorrer las calles, el río, visitar los monumentos con su pareja. También la gente fue muy amable.*

3. *Hanoi*
   *Le encantó.*
   *Se esperaba algo diferente. Le gustó la mezcla de tradición y modernidad. También le gustaron la gente, los templos y el lago en el centro de la ciudad cerca del cual la gente corre por las mañanas.*

**B.** Pregunte a sus alumnos si han estado en alguna de estas ciudades o si les gustaría visitarlas. Anímelos a comentarlo en grupos y pida a cada grupo que conteste a la siguiente pregunta: **si solo pudierais ir a una de estas tres ciudades, ¿cuál escogeríais y por qué?** Haga una puesta en común con las respuestas de los grupos.

### Y DESPUÉS
Proponga a sus alumnos la misma actividad que se desarrolla en la audición. Pida a sus alumnos que dibujen una tabla como la del apartado **A** en su cuaderno y que escojan a tres compañeros a los que entrevistar acerca de una ciudad que les ha impactado especialmente. Haga hincapié en que se puede tratar de una ciudad que han visitado o en una que desearían conocer algún día.

### MÁS EJERCICIOS
Página 140, ejercicio 5.

# 8. FELICIDAD ALTERNATIVA
*Leer un texto sobre los criterios que determinan la calidad de vida de las personas y expresar la opinión al respecto. Elaborar un cuestionario propio y valorar los resultados.*

### OBSERVACIONES PREVIAS
El objetivo de esta actividad es realizar un cuestionario para determinar la calidad de vida de la ciudad en la que tiene lugar la clase de español. Si la clase tiene lugar en un país hispanohablante, sus alumnos podrán preguntar a nativos. Si, por el contrario, el curso tiene lugar en otro país, sus alumnos llevarán a cabo una actividad adicional de mediación: prepararán el cuestionario en castellano, harán las preguntas en su lengua materna y trabajarán con los resultados para presentarlos después en español al resto de la clase.

### ANTES DE EMPEZAR
El suplemento dominical de un importante diario español publicó hace poco un estudio acerca de los factores que determinan la felicidad de las personas. Como experimento, acudió a un banco de imágenes muy popular en internet (**www.flickr.com**) e introdujo la palabra **felicidad** como criterio de búsqueda. Luego analizó las características de las fotografías.

Le proponemos repetir este experimento de una de estas formas: si su aula dispone de conexión a internet, deje que sean sus alumnos quienes busquen algunas fotografías introduciendo la palabra **felicidad**, bien en un banco de imágenes o bien en la sección de imágenes de un buscador. Si el aula no dispone de conexión, puede buscar usted las fotografías de antemano y llevar aquellas que le parezcan especialmente significativas. Proyecte o reparta las fotografías entre sus alumnos de forma que todos puedan verlas todas.

Luego pídales que, en pequeños grupos, hagan una lista de las características más significativas de las imágenes. Es muy posible que aporten respuestas como: estar con la familia y los amigos, disfrutar de la naturaleza o al aire libre, estar tranquilo, etc., lo que preparará el terreno para la lectura del texto.

### PROCEDIMIENTOS
**A.** Explique a sus alumnos que una serie de organizaciones han elaborado un estudio para determinar el grado de felicidad de los habitantes de diferentes países. Anímelos a hacer hipótesis acerca de los posibles candidatos.

Luego, explique que en el texto se presentan las conclusiones del estudio y los criterios que, según sus autores, se deben seguir para ser más feliz. Pídales que lo lean y discutan si están de acuerdo con los criterios. Anímelos a hacerlo en pequeños grupos.

A continuación, pida a sus alumnos que reflexionen unos minutos sobre el grado de felicidad de su país o comunidad atendiendo a las ideas del texto. Fomente una charla en pequeños grupos. Si tiene un grupo multicultural, procure que en cada grupo haya estudiantes de diferentes nacionalidades.

**B.** Es probable que algunos de sus alumnos no hayan estado de acuerdo con todos los criterios del apartado **A**. Recuérdeles este hecho y explíqueles que ahora tienen la oportunidad de elaborar sus propios criterios. Pídales que, en los mismos grupos de trabajo, determinen al menos cinco criterios sobre los que elaborar un cuestionario acerca de la calidad de vida o la satisfacción de los habitantes de una ciudad.

Remítalos a la muestra de lengua y concédales diez minutos para ponerse de acuerdo en los criterios que van a utilizar. A continuación, puede mostrarles diferentes modelos de cuestionario para que elijan uno.

---

Ejemplo A:

**Valore del 1 (muy insatisfecho) al 5 (muy satisfecho) según su grado de satisfacción:**

**1. Los servicios (bibliotecas, gimnasios, hospitales):**

1 ☐  2 ☐  3 ☐  4 ☐  5 ☐

**2. ...**

---

Ejemplo B:

**Responda a las siguientes preguntas marcando SÍ o NO:**

**1. ¿Está satisfecho con los servicios de su ciudad (bibliotecas, gimnasios, hospitales)?**

Sí ☐   No ☐

**2. ...**

---

Concédales tiempo para elaborar el cuestionario en grupos y paséese por la clase para ayudar cuando sea necesario.

Si está en un país hispanohablante, proponga a sus alumnos que pregunten a conocidos y a gente de la calle y que hagan una valoración final de sus respuestas. Cuantas más personas sean las encuestadas, mayor fiabilidad tendrá la encuesta. Si sus alumnos no se encuentran en un contexto de inmersión, anímelos a elaborar el cuestionario en castellano, a hacer las preguntas en su propia lengua a personas que conozcan y a trabajar con los resultados en clase para preparar su presentación español.

Finalmente, anime a cada grupo a escoger a un portavoz que presente sus conclusiones al resto de la clase.

## 9. CIUDAD DE VACACIONES
*Hablar de los cambios que se producen en una ciudad a lo largo del año. Leer y escuchar un poema sobre los cambios de una ciudad y contrastar las experiencias del poeta con las propias.*

### OBSERVACIONES PREVIAS
Con esta actividad puede sondear la actitud de sus estudiantes con respecto a la poesía. Esto será importante para el desarrollo de la tarea final, que consiste en redactar un poema sobre una ciudad.

### PROCEDIMIENTOS
**A.** Remita a sus alumnos al título de la actividad y pregúnteles si la ciudad en la que viven normalmente cambia durante los períodos vacacionales (en verano, durante las festividades, etc.). Puede explicar los cambios que se dan en la ciudad de la que usted proviene o en la que vive (adornos especiales durante algunas festividades, modificaciones en el paisaje según las estaciones, movimientos de la población, etc.).

**B.** Pídales ahora que, con el libro cerrado, escuchen un poema de Mario Benedetti en el que habla de Madrid durante el mes de agosto. Pídales que se concentren en las descripciones de la ciudad y que anoten la información más importante.

A continuación, pídales que lean el poema en el libro y comprueben si sus notas coinciden con el texto del poema, y si hay ideas nuevas. Si lo estima conveniente, puede guiar la lectura con preguntas como: **¿quiénes son "los otros"? ¿Dónde están los madrileños en verano? ¿Es agradable la ciudad en verano para el poeta?** Haga una puesta en común en clase abierta.

### Y DESPUÉS
Puede volver a poner la audición y dejar que sus alumnos escuchen el poema. Luego, pregúnteles si les gusta la poesía y si leen este género habitualmente. Esta pregunta es importante para conocer la predisposición de sus alumnos para la siguiente actividad.

## 10. PONGAMOS QUE HABLO DE...
*Escribir un poema sobre la ciudad en la que los alumnos están estudiando español.*

### OBSERVACIONES PREVIAS
Esta actividad tiene como objetivo que sus alumnos escriban un poema sobre la ciudad en la que están estudiando español. Si lo prefiere, puede darles a elegir una ciudad que conozcan bien.

En el apartado **B** de esta actividad los alumnos elaborarán un "producto" que pueden incluir en su Portfolio.

### PROCEDIMIENTOS
**A.** Pida a sus alumnos que miren las fotografías y escojan una que les guste especialmente. Concédales diez minutos para que, individualmente, escriban en un papel todas las sensaciones y emociones que les despierten. Aclare que no se trata de describir la fotografía, sino de describir el efecto que produce sobre ellos. Si lo considera conveniente, puede poner música tranquila mientras escriben.

Transcurridos los diez minutos, pida a sus alumnos que formen equipos o parejas según las ciudades que hayan escogido y anímelos a comentar sus impresiones con las de los otros alumnos. Si hay muchas personas que han escogido la misma ciudad, divídalas en varios grupos. Y si, contrariamente, quedan alumnos sueltos, anímelos a unirse a un grupo y a explicarles su elección.

Haga una puesta en común en clase abierta. Si sus alumnos establecen comparaciones o metáforas, anótelas en la pizarra.

**B.** Si para el apartado anterior sus alumnos han utilizado comparaciones o metáforas, remítalos a ellas. Si no lo han hecho, escriba las siguientes greguerías de Ramón Gómez de la Serna en la pizarra y anímelos a comentarlas.

**El Coliseo en ruinas es como una taza rota del desayuno de los siglos.**

**Venecia es el sitio en que navegan los violines.**

Pregunte luego: **¿por qué se habla del desayuno de los siglos y de los violines?**

Luego hágales ver la diferencia entre ambas figuras literarias: la primera es una comparación y la segunda una metáfora (una figura retórica en la que se identifica el término real con su imagen).

Invite a sus alumnos a hacer algo similar con respecto a la ciudad en la que estudian español. Indíqueles que les ayudará pensar en su vida y experiencias en la ciudad, recordar los detalles que les llaman la atención en su camino a clase, en las personas que viven allí, etc. De nuevo, puede poner música y dejarles unos minutos para que escriban individualmente.

Pídales después que, en grupos de tres, pongan en común sus ideas sobre la ciudad en la que estudian español y las comparaciones y las metáforas que han escrito sobre ella. Propóngales que den forma de poema a este material empleando todos los recursos aprendidos en esta unidad que consideren de utilidad.

## Y DESPUÉS
Pida a sus alumnos que escojan a un representante del grupo para leer el poema ante toda la clase. Si lo prefieren, pueden grabarlo en un CD para que usted lo reproduzca.

## MÁS CULTURA

## VETUSTA

### OBSERVACIONES PREVIAS
**Vetusta** es el nombre con el cual el escritor Leopoldo Alas "Clarín" denominó a la ciudad de Oviedo en su obra *La Regenta* (1884). Desde entonces, Vetusta se ha convertido, prácticamente, en un sinónimo de Oviedo. Vetusta significa

**vieja**, **antigua**, **carca**. En *La Regenta*, Clarín critica la hipocresía, la falsa religiosidad, la represión y los convencionalismos que caracterizaban a la sociedad de aquella época.

### PROCEDIMIENTOS
**A.** Pida a sus alumnos que piensen en catedrales famosas (por ejemplo Il Duomo de Milán, Notre Dame de París, Chartres, Saint Paul's Cathedral de Londres, etc.). A continuación, anímelos formar parejas para pensar en todo aquello que les sugiere una catedral y a elaborar una lista con las palabras y expresiones que se les ocurran. Deje que consulten el diccionario si lo desean. Posteriormente, haga una puesta en común e interésese por saber si, al elaborar su lista, han pensado en alguna de las catedrales mencionadas, en otra o en ninguna en particular. A continuación, dirija su atención a las fotografías del libro y pregúnteles si se ajustan a las listas que han elaborado anteriormente.

**B.** Explique, a continuación, que una de estas catedrales es la de Oviedo (Vetusta), lugar donde se desarrolla *La Regenta*. Pídales que lean el texto y que subrayen aquellas informaciones que les ayuden a identificar la catedral. Si lo cree oportuno, especialmente si su curso tiene lugar en España, pregunte también si pueden identificar en qué ciudades españolas se encuentran las otras dos catedrales. Luego, anímelos a contrastar su hipótesis con la de uno de sus compañeros.

*Solución*
*La número 1 es la catedral de Sevilla; la número 2, la de Segovia; la 3, la de Oviedo. Por lo tanto, la 3 es la que deberían seleccionar los alumnos.*

**C.** Explique a sus alumnos que van a leer la descripción de dos barrios de la ciudad de Vetusta que aparecen en *La Regenta*. Pídales que trabajen en parejas: uno de ellos leerá el texto sobre La Encimada y resumirá con sus propias palabras las características principales del barrio descrito (sus casas, sus calles, su gente, etc.). El otro se dedicará al texto sobre el barrio de La Colonia. Al final, anímelos a describir a su compañero el barrio que les ha tocado y a encontrar juntos las diferencias entre ambos.

*Solución*
*En La Encimada vive gente noble y gente pobre, mientras que en La Colonia viven los "nuevos ricos": indianos, comerciantes de paños y comerciantes de harina.*
*La Encimada es un barrio antiguo, con edificios muy viejos como la catedral y dos iglesias, mientras que La Colonia es un barrio moderno y nuevo.*
*Las calles de La Encimada son estrechas, húmedas y sin sol, mientras que La Colonia es un barrio geométrico y con calles rectas.*
*En la Encimada predominan la piedra y el adobe, por lo que debe de ser todo de un color, mientras que en La Colonia los edificios y los tejados son de colores variados.*

Pregunte entonces a sus alumnos si estas diferencias les

resultan familiares, si se dan en su ciudad o lugar de residencia.

**D.** Explique que van a escuchar a dos personas que han leído *La Regenta* y hablan acerca de cómo se imaginan la ciudad de Vetusta. Pida a sus alumnos que tomen notas durante la audición y contrasten ambas visiones; pregúnteles si creen que las dos personas tienen una imagen parecida de la ciudad. Para finalizar, haga una puesta en común.

### Solución

*Sí. A ambos les parece una ciudad muy conservadora, en la que sus habitantes viven pendientes del "qué dirán", es decir, de la opinión de los demás, con una gran diferencia de clases sociales. A Montse le parece una vida muy aburrida, mientras que Víctor se centra más en la falta de comunicación de sus habitantes y en el sufrimiento que esto causa en ellos.*

*Montse se imagina la ciudad con gente muy vieja, muy mayor, con un ambiente, muy conservador y tradicional. Recuerda la imagen de los días veraniegos, a las 3:00 de la tarde con un calor horroroso, polvoriento, agobiante. Cree que la vida debe de ser muy aburrida, lenta y conservadora, centrada en las habladurías, el protocolo social y las normas de comportamiento.*

*Para Víctor, la vida en Vetusta está muy relacionada con las clases sociales. La clase alta vive en casas como palacios, de arquitectura vetusta, pero también hay gente muy pobre que vive en otra parte de la ciudad y tiene menos posibilidades. Las relaciones entre las personas son las típicas de la época y están muy condicionadas por el tipo de ciudad en la que viven: clases sociales muy marcadas y casas muy cerradas. Cada familia vive en su casa, donde quedan sus problemas. La gente solo se confiesa en la iglesia. Hay mucho secretismo y mucha presión. Cada casa es un universo y cada familia un mundo, y las relaciones son muy hipócritas, las personas están muy pendientes del de la opinión de los demás. Las mujeres sufren mucho por el tipo de vida que llevan y por las limitaciones que les impone una sociedad como esa.*

## Y DESPUÉS

Pregunte a sus alumnos si alguna vez han vivido o visitado alguna ciudad o pueblo que les recuerde a Vetusta y pregunte: **¿en qué aspectos se parecen?**

# 8 ANTES DE QUE SEA TARDE

Enseñe a sus estudiantes la imagen de la portadilla y pregúnteles si saben qué están haciendo esos niños. Las respuestas esperables estarán relacionadas con la limpieza de la playa: **limpiar**, **recoger basura**... A partir de estas respuestas puede propiciar una conversación sobre temas como la contaminación del mar y las playas o la contaminación en general.

A continuación, pregunte con qué palabras relacionan la contaminación. Tome nota de las que sugieran y mencione el concepto de **medio ambiente,** si sus alumnos no lo hicieran.

Por último, presente los objetivos de la unidad y la tarea final: crear una campaña de concienciación social.

## COMPRENDER

## 1. UNA CAMPAÑA
*Leer información de una campaña para desarrollo sostenible. Relacionar algunos problemas con sus soluciones y comentar la campaña.*

### OBSERVACIONES PREVIAS
La campaña proporcionada fue extraída del sitio web **www.sostenibilidad.com** en 2006. Tenga en cuenta que en dicho sitio aparecen cada cierto tiempo nuevas campañas relacionadas con el desarrollo sostenible. Puede aprovechar este hecho para proporcionar a sus estudiantes nuevos materiales relacionados con esta actividad.

### PROCEDIMIENTOS
**A.** Informe a sus estudiantes de que una importante compañía, Acciona, ha puesto en marcha una campaña publicitaria. Invítelos a leer el breve texto que se puede encontrar en la página de entrada del sitio web de la compañía y a hacer hipótesis sobre el tema de la campaña. Permita que, tras la lectura individual, comenten sus hipótesis en parejas o en pequeños grupos.

*Solución*
*El desarrollo sostenible.*

Una vez aclarado el tema de la campaña, puede pedir a sus estudiantes que comenten en clase abierta lo que sepan sobre desarrollo sostenible.

**B.** A continuación, muestre los diferentes temas que se tratan en esta campaña, que aboga por un desarrollo de la economía que sea compatible con el medio ambiente. Puede leer los encabezamientos de los diferentes apartados con los estudiantes asegurándose de que entienden que el término **infraestructuras** se refiere a aquellos servicios de gran envergadura necesarios para el funcionamiento de la sociedad actual: aeropuertos, redes viarias, redes energéticas...

Luego, pídales que lean individualmente cada uno de los apartados y que los relacionen con las soluciones que aparecen en la página siguiente. Deje que comparen sus respuestas con las de un compañero antes de pasar a la fase de corrección.

*Solución*
1. La vivienda ➡ construir viviendas ecoeficientes.
2. Las infraestructuras ➡ apostar por la innovación.
3. La energía ➡ buscar nuevas formas de energía que no se agoten ni contaminen.
4. El agua ➡ evitar el despilfarro, desalar, depurar y potabilizar a gran escala.
5. El transporte ➡ utilizar biocombustibles.

**C.** Plantee ahora las preguntas propuestas en este apartado: **¿qué te parecen las actuaciones propuestas? ¿Crees que son fáciles de realizar? ¿Aplicas o piensas aplicar personalmente alguna de ellas?** Si le parece conveniente, pregunte también a sus estudiantes si conocen algún país que se caracterice por la aplicación de alguna de esas medidas y si su propio país las aplica.

**D.** Finalmente, fomente un pequeño debate en clase abierta sobre este tipo de campañas lanzando la pregunta: **¿Os parecen efectivas?**

### MÁS EJERCICIOS
Página 141, ejercicios 1, 2 y 3.
Página 142, ejercicio 4.

## 2. ANTES DEL MÓVIL
*Leer un artículo sobre los cambios que la telefonía móvil ha provocado en la vida de las personas. Pensar otros aspectos que han cambiado con la llegada de los móviles. Hablar de inventos.*

### OBSERVACIONES PREVIAS
Para realizar esta actividad, sería conveniente que los estudiantes pudieran consultar diccionarios en clase.

### ANTES DE EMPEZAR
Pregunte a sus estudiantes si todos tienen teléfono móvil y plantéeles si creen que es posible vivir sin uno en la actualidad. Escuche sus respuestas y fomente un breve debate sobre esa cuestión, de manera que se comenten algunos aspectos, tanto positivos como negativos, del hecho de tener teléfono móvil.

### PROCEDIMIENTOS
**A.** Presente el artículo que trata sobre la telefonía móvil. Anímelos a leerlo individualmente y a comentar luego con un compañero si están de acuerdo con las afirmaciones que se hacen en el artículo y si se sienten reflejados en algún aspecto. Pídales que justifiquen sus respuestas.

**B.** A continuación, indíqueles que, con el compañero con el que han trabajado en el apartado anterior, hagan una lista de otros aspectos que han cambiado en la vida de las personas a partir de la aparición del teléfono móvil. Puede motivar a las parejas diciéndoles que disponen de tres minutos para intentar hacer la lista más larga. Si viera que a sus estudiantes les cuesta dar con ejemplos de cosas nuevas que nos permite hacer el móvil, proporcióneles usted alguno, como **Avisar a una grúa si se nos avería el coche y estamos en un lugar deshabitado**.

Una vez transcurrido el tiempo, pídales que hagan un recuento de los aspectos que han pensado. La pareja que tenga más leerá su lista al resto de compañeros, que deberán estar atentos para ver si tienen algún aspecto que no se ha dicho y lo aportarán al grupo.

**C.** Finalmente, pida que, en grupos, piensen en otro invento o avance tecnológico que haya cambiado la vida de las personas y cómo lo ha hecho. Pida que utilicen un vocabulario lo más preciso posible y sugiérales usar un diccionario. Una vez hayan terminado, forme nuevos grupos para que expongan los diferentes inventos y cambios relacionados. Anímelos a preguntarse el significado del vocabulario que desconozcan.

## MÁS EJERCICIOS
Página 142, ejercicio 5.

## EXPLORAR Y REFLEXIONAR

## 3. CUANDO LLEGÓ EL INVIERNO
*Relacionar una serie de frases para observar el funcionamiento de las construcciones temporales propuestas. Completar una serie de frases de forma lógica.*

### ANTES DE EMPEZAR
El objetivo de esta actividad es que sus estudiantes observen y sean conscientes de las relaciones temporales que se dan entre la oración principal y las subordinadas temporales introducidas por determinados conectores (**cuando**, **hasta que**, **mientras** y **en cuanto**). Asegúrese de que entienden el sentido de inmediatez que aporta el conector **en cuanto**.

### PROCEDIMIENTOS
**A.** Remita a sus estudiantes a los dos cuadros de frases. Hágales notar que hay cuatro grupos dentro de cada uno y pídales que, individualmente, relacionen los comienzos del cuadro de la izquierda con su continuación correcta en el cuadro de la derecha.

Anímelos a comparar sus resultados con los de un compañero antes de realizar una corrección en clase abierta. Si sus estudiantes ven que para la frase número 7 son posibles las opciones b y c, pídales que expliquen las diferencias que observan al continuarla de una manera o de otra.

*Solución*
| | | |
|---|---|---|
| 1. c | 2. a | 3. b |
| 4. b | 5. a | 6. c |
| 7. b/c | 8. b | 9. a |
| 10. b | 11. c | 12. a |

**B.** Pídales ahora que vuelvan a las frases del cuadro de la derecha para contestar a las preguntas que aparecen en este apartado. Deje que comparen sus respuestas. Después, recójalas haciendo un esquema de las construcciones temporales en la pizarra y remita a sus estudiantes a la página 84 de la sección CONSULTAR

(apartado *Construcciones temporales*) para que observen los ejemplos proporcionados y comenten las cuestiones que crean necesarias.

*Solución*
| | | |
|---|---|---|
| Presente habitual | ⇒ | Presente de Indicativo *(llega, se hace, dura, empiezan)* |
| Futuro | ⇒ | Presente de Subjuntivo *(llegue, se haga, dure, empiecen)* |
| Pasado | ⇒ | Pretérito Indefinido *(llegó, se hizo, duró, empezaron)* |

**C.** A continuación, remita a sus alumnos a los dos cuadros de este apartado. En el de la izquierda se proporcionan cuatro frases inacabadas, mientras que en el de la derecha aparecen cuatro finales. Aclare que no deben relacionar los elementos de los dos cuadros entre ellos, sino que, individualmente, tienen que inventar un final para las de la izquierda y un principio para las de la derecha. Insista en que piensen ejemplos lógicos. Por último, realice una puesta en común. Anímelos a que sean ellos mismos los que detecten los posibles errores en los ejemplos de los compañeros y a que justifiquen por qué son incorrectos.

Si quiere agilizar la realización de este apartado, puede llevarla a cabo de la siguiente manera: pida a sus estudiantes que formen parejas e indíqueles que cada miembro debe completar tres de las frases de la izquierda y dos de las de la derecha. Después se las intercambian y comprueban que las frases del compañero son correctas.

## MÁS EJERCICIOS
Página 143, ejercicio 6.

## 4. UN INCENDIO
*Leer una noticia sobre un incendio. Observar el funcionamiento de las construcciones temporales introducidas por antes de (que) y después de (que).*

### ANTES DE EMPEZAR
Pregunte a sus estudiantes si saben que en España cada verano los incendios representan un grave problema. Interésese por sus conocimientos sobre el tema y por si en su país ocurre lo mismo. Puede preguntarles también cuáles creen que son las principales causas de los incendios (la acción de los pirómanos, la quema de rastrojos, los descuidos al hacer hogueras, etc.) y cuáles son sus efectos o consecuencias (el peligro de desertización, la desaparición de la fauna y la flora, etc.). A continuación, pregunte si saben qué medidas se pueden tomar para combatir este desastre (la limpieza de los bosques, hacer cortafuegos, la prohibición de quemas, las campañas de concienciación, etc.).

## PROCEDIMIENTOS

**A.** Anúncieles que, individualmente, van a leer una noticia sobre un incendio. Si le parece oportuno, tras la lectura puede poporcionarles fotocopias del cuadro siguiente para que decidan si las afirmaciones sobre el suceso son verdaderas o falsas. Luego, durante la corrección en clase abierta, pida a sus alumnos que justifiquen sus respuestas.

|   |   | V | F |
|---|---|---|---|
| 1 | El incendio fue provocado por la colisión entre dos vehículos. | ☐ | ☐ |
| 2 | Los bomberos tuvieron que sacar del vehículo al conductor. | ☐ | ☐ |
| 3 | Los bomberos de Marcilla no pudieron apagar el fuego, debido al difícil acceso a la zona, y tuvieron que acudir los bomberos de otra localidad. | ☐ | ☐ |
| 4 | El fuego se extinguió durante la madrugada. | ☐ | ☐ |
| 5 | Las condiciones meteorológicas ayudaron a apagar el incendio. | ☐ | ☐ |

*Solución*
1. F   2. F   3. F   4. V   5. V

**B.** Pida ahora a sus estudiantes que se fijen en las expresiones destacadas en el texto y recójalas en pizarra: **antes de/después de**; **antes de que/después de que**. Pida que se fijen en los verbos que introducen y que subrayen qué dos oraciones unen dichas expresiones temporales (por ejemplo: **antes de que el conductor pudiera evitarlo, el motor prendió fuego**; o **antes de llegar, sufrió una grave avería**).

A continuación, anímelos a que, en parejas, extraigan conclusiones sobre el uso en un relato del Infinitivo o del Imperfecto de Subjuntivo detrás de **antes/después de (que)**. Si sus estudiantes tienen dificultades para determinar a qué se debe la elección, puede sugerirles que se fijen en los sujetos de las oraciones que han subrayado en el texto.

Escuche las conclusiones de varios de sus estudiantes y asegúrese de que todos entienden que el verbo de las oraciones temporales introducidas por **antes de (que)** y **después de (que)** va en Infinitivo cuando el sujeto de las dos oraciones es el mismo y en Imperfecto de Subjuntivo cuando los sujetos son diferentes. Hágales notar, la presencia de **que** en este último caso. Puede sistematizar esta regla de la siguiente forma:

**antes de** +        Infinitivo (el mismo sujeto)
*El ladrón* borró sus huellas **antes de escapar**.

**antes de** + **que** + Subjuntivo (sujetos distintos)
*El ladrón* escapó **antes de que llegara** *la policía*.

En el último ejemplo destacado en el texto, sus estudiantes observarán un caso en el que, aunque los sujetos no coinciden, el verbo de la oración temporal aparece en Infinitivo. Comente que esto es posible en dos situaciones:

1. El sujeto de la oración temporal está claro por contexto:

- Ayer preparé una velada romántica con mi novio: luz suave, música tranquila, una buena cena… Y justo después de cenar (nosotros), apareció mi madre.

2. Colocamos el sujeto después del Infinitivo:

- Carlos ha cambiado mucho: antes de nacer su hijo, era un juerguista.

## MÁS EJERCICIOS
Página 145, ejercicios 10 y 11.

# 5. UN INFORME
*Leer un fragmento de un artículo. Reflexionar sobre el uso de ciertas expresiones para sustituir o hacer referencia a lo dicho.*

## ANTES DE EMPEZAR
Pregunte a sus estudiantes si saben a qué se refieren las palabras **región andina**. Espere que hablen de los países en los que se encuentra la cordillera de los Andes y, a continuación, pregunte si saben qué significa **indígena**. Puede esperar respuestas como **las personas originarias de un lugar, antes de las colonizaciones/diferentes de las occidentales**. Pregúnteles qué saben sobre los pueblos indígenas de los Andes. Si sus estudiantes no mencionan la **civilización inca**, hágalo usted. Escriba la palabra en la pizarra y comente que fue la cultura más importante que se desarrolló en la región andina antes de la colonización española.

Anuncie a sus estudiantes que van a leer el fragmento de un informe sobre el problema del agua en la región andina y pregúnteles si saben cuáles son las características de ese tipo de texto. Escuche sus respuestas y, si fuera necesario, explicite usted mismo algunas de las características de un informe. Llame su atención sobre la palabra **informe**, que indica que se trata de un texto informativo, y diga que en él se describen o detallan las características de un asunto o las circunstancias de un suceso o incidente (por ejemplo, la salud mundial, el uso de internet, un accidente ferroviario...). Aclare también que, normalmente, un informe escrito suele tener un carácter formal e incluso técnico.

## PROCEDIMIENTOS

**A.** Remita a sus estudiantes al texto e indíqueles que, primero, deben leerlo individualmente y, luego, con un compañero, decidir qué título le pondrían. Cuando hayan terminado invite a sus estudiantes a que digan el título que han elegido en clase abierta y a que justifiquen por qué lo han escogido.

Pregúnteles si en su país (o países) existen conflictos como el que ilustra el texto que acaban de leer. Anímelos a hablar de todo lo que sepan sobre la gestión del agua e incluso sobre temas relacionados que puedan resultarles más cercanos como el precio del agua, las restricciones a causa de la sequía...

**B.** Pídales ahora que vuelvan al texto y que se fijen en las palabras subrayadas para responder a estas preguntas:

1. **¿A qué palabras se refieren, es decir, a qué otra palabra del texto equivalen?**
2. **¿Para qué creéis que se usan?**
3. **¿Sabéis cómo se llama a las diferentes palabras que tienen el mismo significado?**

*Solución*
*1. Este recurso (el agua); nativos (indígenas); los estados (los gobiernos).*
*2. Se usan para evitar repetir la misma palabra.*
*3. Sinónimos.*

**C.** A continuación, van a fijarse en las expresiones en negrita. Indique que están relacionadas con el sustantivo que las sigue y que sirven para indicar que este ya ha sido citado anteriormente. Pregunte si conocen algún otro recurso que sirva para hacer lo mismo (**el citado/la citada/los citados/las citadas**).

## Y DESPUÉS

Si le parece conveniente, puede proponer a sus estudiantes que escriban un pequeño texto en casa para poner en práctica los recursos que acaban de ver. Deles varias opciones: pueden continuar el informe que han leído (centrándose en el tema del agua o en el peligro de la desaparición de las comunidades indígenas y lo que eso conllevaría) o bien escribir un texto nuevo sobre los incas para colgar en clase y dar a conocer lo que se sabe sobre dicha civilización.

## MÁS EJERCICIOS

Página 145, ejercicios 12 y 13.

# 6. LA ESCASEZ DE LA PRODUCCIÓN Y SU VIABILIDAD

*Transformar sustantivos en frases. Reflexionar sobre el uso de ciertos sufijos que permiten formar sustantivos a partir de verbos y de adjetivos.*

## ANTES DE EMPEZAR

Informe a sus estudiantes de que van a continuar trabajando con recursos que utilizamos en textos formales. Uno de estos recursos es la utilización de sustantivos que resumen frases, como la del título de la actividad. Este recurso permite a los textos ser más sintéticos y precisos.

## PROCEDIMIENTOS

**A.** En primer lugar, pida que lean las frases en parejas y que piensen un posible contexto para cada una. Por ejemplo, la primera frase podría aparecer en una noticia sobre algún desastre natural, que puede provocar la escasez de alimentos en una zona concreta con la consiguiente subida de los precios. Vaya escuchando lo que comenten las parejas para comprobar que entienden las frases. Si lo cree conveniente, haga una puesta en común.

A continuación, pida que piensen cuáles pueden ser las frases que resumen los sustantivos en negrita que aparecen en cada frase. Lea con ellos el primero e indique que deben cambiar o añadir lo que sea necesario para reescribir las frases, pero no usar los sustantivos destacados. Antes de corregir deje que comparen en parejas y terminen de completar la actividad.

*Solución (sugerencia)*
*2. La población crece; eso hace más difícil recuperar las zonas naturales.*
*3. Que el proyecto sea viable depende de que se apruebe la ley.*
*4. Las ONG dan una respuesta más rápida a algunos problemas gracias a que son flexibles.*
*5. Una respuesta rápida ante el fuego es esencial para evitar que se quemen grandes extensiones.*
*6. Este estudio será realizado con fondos europeos.*
*7. El gobierno ya ha demostrado que es incapaz de afrontar estos nuevos fenómenos.*

**B.** Ahora pregunte a partir de qué palabras se forman los sustantivos **subida** y **escasez** (**subir** y **escaso/a**) y qué tipo de palabras son (**verbo** y **adjetivo**, respectivamente). A continuación, diga a sus estudiantes que van a seguir en parejas para completar la tabla proporcionada. En ella trabajarán la formación de algunos sustantivos de proceso/acción a partir de un verbo y la de algunos sustantivos de cualidad/propiedad a partir de adjetivos.

## Solución

| Verbo | Sustantivo |
|---|---|
| actuar | la actuación |
| realizar | la realización |
| perder | la pérdida |
| decidir | la decisión |
| cambiar | el cambio |
| descubrir | el descubrimiento |
| probar | la prueba |
| comprar | la compra |
| suprimir | la supresión |
| aumentar | el aumento |
| disminuir | la disminución |
| contaminar | la contaminación |
| reciclar | el reciclaje |

| Adjetivo | Sustantivo |
|---|---|
| bello/a | la bell**eza** |
| igual | la igual**dad** |
| tranquilo/a | la tranquili**dad** |
| sociable | la sociabili**dad** |
| tímido/a | la timid**ez** |
| escaso/a | la escas**ez** |
| sincero/a | la sinceri**dad** |
| oscuro/a | la oscuri**dad** |
| capaz | la capaci**dad** |
| alto/a | la alt**ura** |
| ancho/a | la anch**ura**/el **ancho** |
| fino/a | la fin**ura** |
| cierto | la cert**eza** |

**C.** Ahora puede entregarles fotocopiada la tabla que aparece más abajo para que clasifiquen los sustantivos anteriores según su terminación.

Una vez realizada la actividad, pida a sus estudiantes que centren su atención en el género de los sustantivos. ¿Pueden extraer reglas basándose en los sufijos que se emplean? Anímelos a comentarlo en parejas. Para los sufijos que no presentan variación en función del género, es de esperar que sus alumnos detecten pautas regulares como las siguientes:

> **-ción**, **-ez/-eza**, **-ura** e **-idad**: sustantivos de género femenino.
>
> **-miento** y **-aje**: sustantivos de género masculino.

## MÁS EJERCICIOS
Página 143, ejercicio 7.
Página 144, ejercicios 8 y 9.

## PRACTICAR Y COMUNICAR

## 7. RECICLA
*Escribir un texto en un registro culto.*

### OBSERVACIONES PREVIAS
Para la realización de esta actividad, convendría que los estudiantes dispusieran de diccionarios monolingües y de sinónimos en el aula.

| | -CIÓN / -CCIÓN -SIÓN | -ADO / -ADA -IDO / -IDA | -MIENTO | -AJE | Otros |
|---|---|---|---|---|---|
| **SUSTANTIVOS DERIVADOS DE VERBOS** | | | | | |

| | -EZ / -EZA | -URA | -(I)DAD | Otros | |
|---|---|---|---|---|---|
| **SUSTANTIVOS DERIVADOS DE ADJETIVOS** | | | | | |

## ANTES DE EMPEZAR

Pregunte a sus estudiantes si suelen reciclar y cómo lo hacen. El objetivo es contextualizar el tema que van a tratar en el texto desde una perspectiva cotidiana. Si algún estudiante tiene conocimientos más específicos sobre el tema, deje que los comente.

## PROCEDIMIENTOS

A continuación, muestre los datos que aparecen en la actividad y coméntelos en clase abierta. Cuando ya estén familiarizados con el tema y con los datos de los que disponen, indique que tienen que escribir en parejas un artículo en un registro culto en el que planteen el problema y ofrezcan soluciones. Puede dejarles unos minutos para que hagan una lluvia de ideas y un esquema previo a la redacción. Cuando ya tengan el esquema, pueden pasar a redactarlo. Anímelos a practicar todos los recursos vistos en esta unidad.

### Solución (sugerencia)

*Uno de los problemas que más preocupan a los expertos en temas de medio ambiente es el tratamiento de los residuos. Dicho problema no solo debería concernir a gobiernos y dirigentes, sino que debería atañer al conjunto de la sociedad. Tomando como ejemplo el caso de España, la población debería ser consciente de que, con más de 40 millones de habitantes, se genera una cantidad superior a 17 millones de toneladas anuales de desechos, de los cuales el 70 % no son tratados. Esto repercute negativamente en el medio ambiente, ya que se produce una emisión de gas metano a la atmósfera que contribuye, en gran medida, al efecto invernadero.*
*Existen algunas soluciones que se podrían llevar a cabo y que están al alcance de todos. En primer lugar, convendría saber que el 50% de estos residuos proviene de materia orgánica, la cual podría ser reutilizada para la recuperación de suelos. En segundo lugar, contamos con otro tipo de residuos no orgánicos (papel, plástico y otros) que también pueden dañar seriamente el medio ambiente. Por ejemplo, la tala indiscriminada de árboles para la producción de papel se reduciría si recicláramos dicho material, puesto que una tonelada de papel reciclado equivale a 15 árboles talados.*

*En definitiva, un uso divulgativo de este tipo de información crearía una concienciación de la importancia y la utilidad del reciclaje. Sin embargo, conocer el problema no conlleva la solución, es necesario actuar. Ahora bien, un reciclaje sin cuidado no es efectivo, por lo tanto hay que practicar un reciclaje responsable en todos los ámbitos de la vida, ya sea en el trabajo, en el hogar, en la ciudad, en la naturaleza, etc. Dicha responsabilidad implica contemplar el tema de los residuos con una mentalidad más abierta, es decir, reutilizar el máximo de residuos y, por lo tanto, generar el mínimo, y aquello que no sea reutilizable, reciclarlo apropiadamente en los contenedores correspondientes.*

## 8. VUELAN VUELAN
*Realizar un juego para practicar vocabulario.*

### ANTES DE EMPEZAR

Pregunte a sus estudiantes: **¿los peces nadan?** Espere a que le contesten que sí y hágales, a continuación, la siguiente pregunta: **¿y las personas?** De nuevo, la respuesta esperable es afirmativa. Por último, pregunte: **¿y los barcos?** Escuche sus respuestas y, tras aclarar que los barcos no nadan, sino que navegan, explique que van a realizar un juego que consiste en reconocer si los animales o los objetos que digan realizan una serie de acciones.

### PROCEDIMIENTOS

Explique la dinámica del juego. Se trata de elegir uno de los verbos propuestos (**volar**, **nadar**, **respirar**, **crecer**, **contaminar**, **reciclarse** y **gastar**) u otros que se les ocurran, y pensar en un animal u objeto que realiza esa acción (puede ser verdad o mentira). Si la asociación que hace el estudiante es correcta, el resto debe levantar la mano rápidamente (el último en hacerlo pierde un punto), si la relación es incorrecta, no deben levantar la mano (y si alguien lo hace también pierde un punto).

Antes de empezar el juego podría indicar que los dos estudiantes que tengan menos puntos deberán superar una pequeña prueba que pensarán los demás compañeros, por ejemplo, hablar durante un minuto sin parar sobre un tema que les propongan.

## 9. ¿FUE ANTES O DESPUÉS?
*Discutir sobre una serie de afirmaciones polémicas.*

### ANTES DE EMPEZAR

Para contextualizar esta actividad escriba en la pizarra la primera frase: **Antes de que los españoles llegaran a América, los vikingos ya habían estado en Canadá.** Pregunte a sus estudiantes si conocían esta información, y si saben más datos sobre descubrimientos, por ejemplo: **Pedro Álves Cabral descubrió Brasil después de que llegara Colón, en el año 1500.**

### PROCEDIMIENTOS

Si considera que a su grupo le va a resultar difícil comentar el resto de las afirmaciones espontáneamente, puede hacer la actividad propuesta a continuación antes de llevar a cabo la que se propone en el libro.

Reparta fotocopias del cuadro de la página siguiente. En parejas, deberán relacionar la información que aparece en cada ítem para construir frases con las correspondientes construcciones temporales vistas y según el modelo que usted ha escrito antes en la pizarra.

Luego pida a sus estudiantes que las comparen con las frases del libro para ver si coinciden, no solo en la forma

**1)** acabarse las reservas de petróleo / el planeta entrar en una enorme crisis energética y todo cambiar.

**2)** acabarse las reservas de petróleo / descubrirse la manera de hacer funcionar los motores con agua.

**3)** Nobel patentar la dinamita en Europa / los chinos inventarla al igual que la imprenta.

**4)** los gobiernos decidir actuar realmente contra el efecto invernadero / ser demasiado tarde / las ciudades de todo el mundo desaparecer.

**5)** la selva amazónica continuar desapareciendo / los gobiernos de la zona no tomar medidas serias / prohibir totalmente la tala de árboles.

sino también y, sobre todo, en el significado. A continuación, pueden pasar a discutir las afirmaciones de la actividad.

## 10. PELIGROS Y AMENAZAS

*Hacer una lista de peligros para el medio ambiente. Leer las listas de los compañeros y buscar soluciones.*

### PROCEDIMIENTOS

**A.** Presente los cuatro ámbitos propuestos (**los mares**, **las selvas**, **los ríos** y **el clima**) y diga a sus estudiantes que, en parejas, elaboren una lista con los peligros que los amenazan. Puede proponerles algún ejemplo, como el vertido de residuos en ríos y mares.

**B.** Una vez confeccionadas las listas, pida a las parejas que se las intercambien. Indíqueles que deben leer la que han recibido y pensar en ideas y soluciones a los problemas que aparecen en ella. Deben escribirlo en el mismo papel. Finalmente, deben devolver las listas con los problemas y las soluciones propuestas a las parejas originales, las cuales deberán discutir si están de acuerdo o no con

dichas soluciones. Si dispone del tiempo necesario, puede llevar a cabo una puesta en común.

## 11. EL JUEGO DEL ABECEDARIO

*Juego para aprender vocabulario relacionado con distintos espacios naturales.*

### OBSERVACIONESA PREVIAS

Puede plantear la actividad en clase abierta, de manera que sus alumnos jueguen individualmente, o bien en grupos de cuatro.

### PROCEDIMIENTOS

El juego consiste en que usted diga una letra y sus estudiantes escriban el nombre de algo que se puede encontrar en cada uno de los espacios propuestos (**el mar**, **las montañas**, **los ríos** y **las selvas** y **los bosques**). El que acabe primero debe comunicarlo al resto, que dejará de escribir, y leerá sus palabras en voz alta. Los compañeros deben valorar si se admiten todas las palabras o no y, a la vez, justificar el porqué. En función del tiempo del que disponga para realizar esta actividad, puede decir más o menos letras.

## 12. UNA CAMPAÑA
*Escuchar un anuncio de una campaña.*

### ANTES DE EMPEZAR
Si dispone de acceso a internet en el aula, puede realizar una selección previa de vídeos de anuncios (le resultará muy fácil encontrar ejemplos en sitios como Youtube) para que sus estudiantes los visionen y comenten aspectos como el tipo de espectador al que van dirigidos, qué estrategias utilizan (mostrar la utilidad de un producto, compararlo con otros, impactar al espectador...).

Intente que aparezcan ejemplos de campaña de concienciación y de campaña de intriga. Si no puede acceder a la red en el aula, intente encontrar diferentes tipos de anuncios en revistas, periódicos...

### PROCEDIMIENTOS
**A.** Si no ha llevado a clase ningún anuncio perteneciente a una campaña de intriga y no se han comentado sus características, escriba **campaña de intriga** en la pizarra y pregunte a sus estudiantes a qué creen que se refiere. Escuche sus respuestas y, si fuera necesario, aclare que es un tipo de campaña que se caracteriza por lanzar uno o varios anuncios de forma progresiva, en los que no queda claro qué se está anunciando, con el objetivo de intrigar, de despertar curiosidad, hasta que se ofrece el anuncio que aclara de qué se trata.

Comente a sus estudiantes que, en ocasiones, las campañas de concienciación social se plantean como campañas de intriga y anuncie que van a escuchar un anuncio de ese tipo. Tienen que escuchar y tomar nota del tema que trata el anuncio. Ponga el anuncio una vez, deje que comparen entre ellos las notas que han tomado y póngalo una segunda vez.

Al terminar, pida que discutan con un compañero cuál creen que es el objetivo de la campaña. Realice una puesta en común en clase abierta antes del siguiente paso de la actividad.

**B.** A continuación, diga que van a escuchar el segundo anuncio, que aclara cuál es el objetivo de la campaña. Tienen que escuchar para comprobar si sus hipótesis eran acertadas o no, y ver qué pareja se ha acercado más. Negocie con sus estudiantes si necesitan escuchar este anuncio una segunda vez.

#### Solución
*Se trata de una campaña para fomentar el reciclaje.*

## 13. ¿QUÉ PASARÁ SI...?
*Crear cadenas de causas y consecuencias.*

### ANTES DE EMPEZAR
Si le parece conveniente, realice junto con sus estudiantes un primer acercamiento a esta actividad. Pregúnteles qué pasará si sube radicalmente la temperatura del planeta y recoja las diferentes respuestas en la pizarra a medida que las vayan diciendo. A continuación, anímelos a ordenarlas siguiendo un criterio de causa-consecuencia, por ejemplo: **subirá el nivel del mar (2), se producirá el deshielo de los polos (1), desaparecerán islas enteras (3).**

### PROCEDIMIENTOS
Diga ahora a sus estudiantes que van a trabajar en parejas para intentar realizar la cadena de causas y consecuencias más larga posible a partir de cada uno de los hechos propuestos. Remítalos a la muestra de lengua para que vean cómo encadenar sus frases.

Cuando hayan terminado, puede sugerirles que hagan la cadena más larga entre toda la clase: empieza una pareja, le sigue la de al lado aportando una consecuencia y así sucesivamente. Pero atención: si alguna pareja tiene una consecuencia que es anterior a otra que se ha dicho, dicha pareja debe interrumpir la cadena y justificar su propuesta. Así, tendrán que negociar el orden de las diferentes consecuencias que tienen para formar una cadena lógica entre todos.

## 14. CREAR CONCIENCIA
*Diseñar una campaña de concienciación.*

### OBSERVACIONES PREVIAS
Para realizar esta tarea, sería ideal que contaran con material como cartulinas y rotuladores de diferentes colores y algún tipo de adhesivo.

En el apartado **B** de esta actividad los alumnos elaborarán un "producto" que pueden incluir en su Portfolio.

### PROCEDIMIENTOS
**A.** Explique a sus estudiantes que van a realizar la tarea final: crear una campaña de concienciación social, y que para ello pondrán en práctica todos los contenidos que han visto en la unidad. Forme grupos de tres o cuatro estudiantes y muestre los tres temas propuestos en la actividad (**Una ciudad o un barrio más silenciosos; Una ciudad más limpia, armoniosa y elegante** y **Ahorrar agua y/o energía**). Diga que pueden escoger uno de ellos o, si lo prefieren, pensar otro que les parezca mejor. Puede anticipar que, al final, realizarán una votación para elegir la campaña más seria, divertida, original en el formato y original en el tema que plantea. Deje unos minutos para

que, dentro de cada grupo, negocien el tema y qué soluciones diferentes se les ocurren.

**B.** A continuación, diga que tienen que elegir el formato de la campaña. Pueden darle un formato de página web (con una página de entrada y, en la siguiente, varias secciones que desarrollen los diferentes aspectos de la cuestión) o de cartel publicitario (con textos que expliquen diferentes aspectos del problema que desean tratar).

Cuando ya hayan elegido el formato y diseñado los diferentes textos que van a aparecer, ponga a su disposición el material necesario para que le den forma a la campaña. Indique que después lo deberán presentar al resto de la clase.

**C.** Finalmente, anime a cada grupo a hacer su presentación. Pida al resto de grupos que dé a cada campaña una puntuación de 0 a 10 en cada una de las siguientes categorías: **campaña seria**, **campaña divertida**, **campaña original en el formato**, y **campaña original e interesante en el tema que plantea**. El objetivo es que no haya un único ganador.

## MÁS CULTURA

### ÁRBOLES

*Leer y escuchar cuatro poesías. Contestar a una serie de preguntas. Recitar uno de los poemas. Recrear algunas estrofas.*

#### OBSERVACIONES PREVIAS
Para esta actividad también va a necesitar tener, como en otras de la unidad, diccionarios de sinónimos y antónimos y monolingües, y todos los recursos que le parezcan útiles para que puedan consultarlos los estudiantes.

#### ANTES DE EMPEZAR
Pregunte a sus estudiantes si les gusta la poesía y qué autores de habla hispana conocen. Después, pida que hagan una lluvia de ideas de los temas que suelen tratarse en las poesías: el amor, la muerte, el sentido de la vida, las emociones y los sentimientos, la naturaleza, etc. Indique que la naturaleza sirve como fuente de inspiración para muchos poetas.

**A.** Muestre las cuatro poesías y explique que tratan sobre cuatro tipos de árboles. Observando las fotos podrían ver si conocen los árboles y cómo se llaman en su lengua.

Van a leer individualmente las cuatro poesías para tratar de escribir en una frase de qué trata cada una. Explique que después las trabajarán más a fondo, así que ahora se trata de leer sin buscar mucho en el diccionario para ver qué idea

sacan como conclusión. Deje que comparen sus respuestas entre compañeros antes de hacer una puesta en común.

A continuación indique que van a escucharlas recitadas. Una vez terminada la audición, pregunte en clase abierta si les ha gustado escuchar los poemas recitados y si eso les ha ayudado a comprenderlos mejor.

**B.** Ahora explique que tienen que contestar a las preguntas del apartado; primero lo van a hacer individualmente y, luego, comentarán y contrastarán sus respuestas con las de sus compañeros en grupos de tres o cuatro.

Cuando estén trabajando en los grupos, remítalos a las cuatro entradas biográficas de los autores que aparecen en la misma página para comprobar sus respuestas a la pregunta: **¿dónde sitúas geográficamente a sus autores?**

**C.** Motívelos a recitar uno de los poemas. Indique que pueden recitar el que les guste más u otro, y que pueden hacerlo solos o recitarlo entre los tres o cuatro del grupo. Deben decidir qué estrofa recita cada uno o cómo quieren organizarlo, y si lo van a leer o memorizar. También pueden pensar si se acompañarán de gestos y cuáles harán.

**D.** Para terminar, van a elegir un par de estrofas del poema que prefieran. Pueden elegir el mismo que han recitado con el grupo. A continuación, deberán recrear individualmente o en parejas esas estrofas, buscando sinónimos o expresiones que expliquen su significado y otros recursos trabajados en la unidad como la nominalización.

Cuando ya tengan su texto lo pondrán en común en los grupos de cuatro, ya sea cada uno, si han trabajado individualmente, o bien cada pareja. Como ya estarán familiarizados con el poema, porque antes lo habrán recitado y todos habrán trabajado el mismo, deberán escuchar las versiones de sus compañeros y comentar qué les parece el resultado.

# 9 VIVIR PARA TRABAJAR

Escriba en la pizarra las frases: **vivir para trabajar** y **trabajar para vivir**. Pídales a sus alumnos que, en parejas, escriban una lista con las cosas que relacionan con esas dos maneras de vivir. Realice una puesta en común en la que dirán también con cuál de ellas se identifican. Luego, señale la fotografía de la portadilla y pregúnteles: **¿qué está haciendo este hombre?**

¿Qué hora pensáis que es? Asegúrese de que aparece el siguiente vocabulario: **dormir, echar una cabezada, echar la siesta**. Pregúnteles: **¿vive para trabajar o trabaja para vivir?**

Por último, presente los contenidos de la unidad y la tarea final: escribir una página de presentación para la web de una empresa.

# VIVIR PARA TRABAJAR

## COMPRENDER

### 1. ¿EL TRABAJO ES SALUD?

*Elaborar una lista de las posibles causas del estrés en el trabajo. Leer un artículo sobre trabajo y estrés. Comentar las profesiones que aparecen en el artículo y decidir cuál les parece la más dura.*

#### ANTES DE EMPEZAR

Proponga a sus alumnos una revisión de vocabulario relacionado con el trabajo y para ello propóngales que realicen, en parejas, el ejercicio 9 de la sección MÁS EJERCICIOS, de la página 146. Recuérdeles que pueden usar el diccionario.

El ejercicio no tiene una solución única, por lo que conviene que, durante el desarrollo de la actividad, esté atento a la justificación que hacen de la clasificación de cada palabra, asegurándose de que la comprenden. Anímelos a que amplíen la lista con otras palabras, tal como se propone en el apartado **B** de este ejercicio. Présteles su ayuda si surgen dudas.

Después, lea en voz alta la pregunta del título de la actividad y escuche las respuestas de sus alumnos.

#### PROCEDIMIENTOS

**A.** Interésese por saber si sus estudiantes han tenido alguna vez estrés en el trabajo o si conocen a alguien que lo sufra. Pregúnteles: **¿qué profesiones creéis que provocan más estrés?** Pídales que, en parejas, elaboren una lista con las posibles causas del estrés en el trabajo.

Durante esta fase de transmisión de información, preste atención a las producciones de sus estudiantes y ayúdelos en lo necesario.

**B.** Remita a sus alumnos al artículo que aparece sobre el trabajo y el estrés, invítelos a que lo lean, comparen la información con la lista que ellos han elaborado en el apartado **A** y señalen las coincidencias.

**C.** Pídales que, en grupos de tres, comenten a qué profesiones de las que aparecen en el artículo del apartado **B** no podrían dedicarse y por qué. Anímelos también a decir qué les estresa más en el trabajo o en los estudios.

#### MÁS EJERCICIOS

Página 146, ejercicio 2.
Página 147, ejercicio 5.

### 2. CONCILIACIÓN LABORAL

*Elaborar una lista de vocabulario relacionado con el concepto de **conciliación laboral** y una definición del mismo. Leer las experiencias de cuatro empresarios y empresarias sobre la conciliación laboral. Comentar cómo funciona en diferentes contextos la conciliación laboral.*

#### ANTES DE EMPEZAR

Fotocopie las siguientes frases y entrégueselas a sus alumnos. Coménteles que se trata de una lista con algunos de los problemas más habituales entre los trabajadores. Pídales que los lean y que, en parejas, comenten cuáles les parecen más difíciles de solucionar.

---

**PROBLEMAS DE LOS TRABAJADORES**

- Falta de tiempo para estar con sus hijos.

- Dificultad para compaginar las vacaciones de trabajo con las vacaciones escolares.

- Falta de tiempo para cuidar a sus padres o hijos enfermos.

- Poca disponibilidad de tiempo para seguir formándose.

- Dificultad de las mujeres para tener hijos y prosperar profesionalmente.

- Poca disponibilidad de tiempo para el desarrollo personal.

---

#### PROCEDIMIENTOS

**A.** Pregunte a sus estudiantes: **¿habéis oído hablar de la conciliación en el mundo del trabajo?** Si la respuesta es negativa, dígales que busquen en sus diccionarios la palabra **conciliación**. Pídales que, en parejas, anoten las palabras que asocian con el concepto de **conciliación laboral**. A continuación, en clase abierta, invítelos a que, entre todos, encuentren una definición para este concepto. Acepte sus respuestas pero diríjalos hacia la idea de hacer compatibles el trabajo, la vida personal, y la vida familiar.

**B.** Remita a sus alumnos al texto donde aparecen los testimonios de cuatro personas que explican sus experiencias entorno a la conciliación laboral. Pídales que lo lean y que destaquen una idea de cada uno de los testimonios. A continuación, anímelos a comentar su elección en parejas.

**C.** Pida a sus alumnos que, individualmente, piensen cómo funciona la conciliación laboral en su entorno, es decir, que

## PROPUESTAS DE SOFTESCOM PARA LA CONCILIACIÓN LABORAL

- Disponer de tiempo libre para la formación: los trabajadores dispondrán de un número determinado número de horas anuales, dentro del horario laboral, para dedicarlas a su formación profesional.

- Posibilidad de aumentar las vacaciones: cambiando sueldo por días de vacaciones o solicitando días libres no retribuidos.

- Posibilidad de realizar el total o parte del trabajo desde casa.

- Derecho a un año sabático tras cinco años en la empresa.

- Subvención de guardería para trabajadores con hijos menores de tres años.

## OTRAS PROPUESTAS

piensen en casos que conozcan. Forme grupos de tres y anímelos a comentarlos.

### Y DESPUÉS
Reparta fotocopias del cuadro de la página siguiente y pídales que lean el texto con las medidas de conciliación laboral que propone una empresa española (ficticia) y que añadan otras que crean necesarias. Anímelos a que, en grupos de cuatro, discutan las ventajas e inconvenientes que pueden conllevar las diferentes propuestas.

### MÁS EJERCICIOS
Página 148, ejercicio 6.

## EXPLORAR Y REFLEXIONAR

### 3. AUNQUE
*Observar el funcionamiento de las oraciones introduci-das por **aunque** seguido de Subjuntivo o Indicativo. Observar las diferencias entre **a pesar de** y **aunque**.*

### PROCEDIMIENTOS
**A.** Pida a sus alumnos que lean las cuatro conversaciones presentadas, fijándose bien en las palabras en negrita de las respuestas, y que anoten el número de la conversación junto a la opción equivalente que aparece en el cuadro. A continuación, dígales que comenten los resultados con un compañero. Haga una puesta en común y anime a sus

estudiantes a que acudan a la sección CONSULTAR, en la página 94. Aclare en clase abierta las posibles dudas.

*Solución*
*3 → Tal vez tienes razón en que (el trabajo) está lejos del centro. No me importa tu opinión.*
*4 → Acepto lo que dices: (el trabajo) está lejos del centro.*
*1 → (El trabajo) está lejos del centro.*
*2 → No sé si (el trabajo) está lejos del centro o no.*

**B.** Pida a sus estudiantes que, de forma individual y por escrito, reaccionen con su opinión a cada una de las afirmaciones que se proponen, intentando utilizar **aunque**. A continuación, forme grupos de tres y pídales que compartan las opiniones que han escrito sobre las afirmaciones. Invítelos a que reaccionen también ante la opinión de un compañero. Preste atención a las producciones de sus estudiantes y ayúdelos en lo que considere necesario.

**C.** Remita a sus alumnos a las frases que aparecen con un nuevo conector en negrita. Pídales que, en parejas, anoten en qué se parece y en qué se diferencia de **aunque**. Realice una puesta en común y anote en la pizarra las respuestas de sus alumnos.

Diríjalos al apartado CONSULTAR de la página 94 y anímelos a que comparen sus respuestas con la explicación gramatical que aparece. Haga una puesta en común para que los estudiantes descarten de la lista recogida anteriormente en la pizarra las explicaciones que no se correspondan y añadan las que faltan.

# 4. APRENDER A ESCRIBIR

*Escuchar una entrevista sobre el tipo de textos que escribe una persona y contestar a unas preguntas. Comentar el tipo de textos que se escriben, las dificultades y las estrategias de escritura.*

## ANTES DE EMPEZAR

Pregunte a sus estudiantes: **¿creéis que la gente, actualmente, escribe mucho? ¿Qué tipo de textos? ¿Qué creéis que se necesita para escribir bien?**

## PROCEDIMIENTOS

**A.** Informe a sus estudiantes de que van a escuchar una entrevista que hace un estudiante universitario a una compañera suya sobre los tipos de texto que escribe, las dificultades que se encuentra y las técnicas que utiliza. Pídales que contesten a las preguntas con la información que escuchen. Antes de iniciar la audición deles tiempo para que lean las preguntas.

*Solución*

-*¿Escribe mucho o poco?* → *Más que antes*

-*¿Qué tipo de texto?* → *Correos electrónicos, participaciones en foros, resúmenes de artículos y presentaciones de proyectos.*

-*¿Le resulta fácil o difícil?* → *Depende del texto. Fácil: los correos, los resúmenes, textos de estructura marcada como currículos y textos informativos. Difícil: las quejas o protestas.*

-*¿Qué estrategia utiliza?* → *Hace un esquema con las ideas principales y las ideas asociadas, escribe un primer borrador y luego modifica y corrige errores o repeticiones.*

**B.** Pida a sus estudiantes que piensen en qué tipos de textos escriben, cuáles les resultan fáciles y difíciles y qué estrategias utilizan para escribir. Deles un tiempo y luego forme grupos de tres y anímelos a comentarlo.

# 5. DE PROFESIÓN, INVENTOR

*Leer un artículo de periódico y reflexionar, a través de unas preguntas, sobre la diferencia entre el discurso oral y el escrito.*

## ANTES DE EMPEZAR

Lea el título de la actividad, y pregunte a sus alumnos: **¿qué os parece la profesión de inventor? ¿creéis que está bien pagado? ¿Qué condiciones se tienen que dar para ganar dinero con un invento?** Asegúrese de que sale la palabra **patentar**; si no es así, introdúzcala.

## PROCEDIMIENTOS

**A.** Interésese por saber si a sus alumnos les gusta el karaoke, si todavía está de moda en sus países, si tienen amigos que son aficionados al karaoke. Remítalos al texto que aparece en el libro y explíqueles que se trata de un artículo del periódico *El País* (si no conocen el periódico, coménteles que es uno de los que tienen más tirada en España). Deles tiempo para que lo lean y comenten, en parejas, la información que más les ha sorprendido.

**B.** Pídales que piensen cómo explicarían a un amigo el contenido del artículo artículo que acaban de leer. Hágales notar que no hablamos igual que escribimos. Anímelos a reflexionar sobre aquello que cambiarían contestando a las cuatro preguntas que se proponen en el libro con algún ejemplo del texto oral que se han imaginado.

Puede ser que a los alumnos les cueste imaginar el discurso oral y a la vez compararlo con su versión escrita e identificar los cambios que se producirían. De ser así, le proponemos que fotocopie la transcripción que se proporciona en la págin siguiente y se la entregue a los estudiantes. Explique que se trata de una conversación real entre dos amigas, Nuria (española) y Mercedes (argentina), en la que una le explica a la otra la noticia que ha leído sobre el inventor del karaoke. Anímelos a reflexionar sobre las diferencias entre el registro oral y el escrito y a contestar a las preguntas del apartado **B**. Realice una puesta en común, en clase abierta, para recoger los cambios detectados por sus alumnos.

En el caso de que los alumnos no hayan tenido problemas para contestar a las preguntas de este apartado, también les puede entregar la fotocopia de la transcripción y pedirles que comparen los cambios que en ella aparecen con los que ellos habían pensado.

**C.** Remítalos de nuevo al texto para que hagan otra lectura atendiendo a las preguntas que se les proponen.

*Solución (sugerencia)*

1. Temas
- *Primer párrafo: quién fue el inventor del karaoke.*
- *Segundo párrafo: cuándo se inventó y expansión del producto.*
- *Tercer párrafo: los diferentes usos del karaoke.*
- *Cuarto párrafo: por qué no se hizo famoso su creador.*
- *Quinto párrafo: el dinero que podría haber ganado.*

2. Palabras clave
- *Primer párrafo: creador, invento popular, al margen de la fama, Singapur.*
- *Segundo párrafo: producto de la globalización, 1971, actualmente.*
- *Tercer párrafo: se usa, hospitales, rompehielo, idiomas, iglesias.*

- *Cuarto párrafo: royalty; registrar; patente*
- *Quinto párrafo: ganar, 150 millones de dólares.*
3. Equivalentes a **invento** y a **Daisuke Inonue**
- *Invento: la primera máquina, invención, producto, artículos.*
- *Daisuke Inoue: creador, él, su, Inoue.*

## MÁS EJERCICIOS
Página 149, ejercicios 12 y 13.

## PRACTICAR Y COMUNICAR

## 6. ENTREVISTA DE TRABAJO
*Escuchar los comentarios de dos entrevistadores sobre dos candidatos a un puesto de trabajo. Marcar a qué candidato corresponde cada información. Opinar sobre qué candidato les parece más adecuado para el trabajo.*

### PROCEDIMIENTOS
**A.** Comente a sus alumnos que una empresa editorial necesita una persona para cubrir un puesto de directivo y, entre todos los candidatos, han seleccionado a dos, Pedro y Marisa. En el cuadro del libro del alumno se recogen algunas de las experiencias laborales de cada uno. Pida a sus estudiantes que, en parejas, seleccionen las tres que les parecen más importantes para el puesto de trabajo que se ofrece. Después, infórmeles de que van a escuchar una audición donde los entrevistadores comentan las experiencia que tiene cada uno de los candidatos. Los alumnos tienen que marcar las que corresponden a Pedro y a Marisa.

### Solución
*Marisa:*
- *Tiene una amplísima experiencia en marketing.*
- *Gracias a su gestión, la empresa llegó a ser líder en el sector.*
- *En menos de dos años asumió la dirección del departamento.*

*Pedro:*
- *Ha trabajado en una pequeña editorial.*
- *Aunque empezó promocionando las novedades editoriales, a los tres meses de estar en la empresa logró ser jefe de proyectos.*

**Nuria:** He leído en el periódico, que hay un japonés, el que inventó el karaoke, que no sé cómo se llama, que resulta que como no patentó su invento no ha recibido ningún *royalty* por él.

**Mercedes:** Pero el karaoke qué, ¿lo inventó un japonés?

**N:** Sí, hace creo que unos treinta años ya, pero como no lo patentó, porque parece ser que es muy caro en Japón patentar, pues... no ha recibido ni un duro por... pues por el invento.

**M:** Pero, ¿por qué podría cobrar? ¿Por la palabra **karaoke**?

**N:** No, no, por patentar la máquina.

**M:** ¡Ah!!!, ¡por la máquina!!!, pensaba que...

**N:** No hombre, karaoke es la máquina.

**M:** No, para mí karaoke es cuando te meten una música y tú cantas con la música...

**N:** Sí, claro, pero te ponen los subtítulos debajo de las canciones, entonces eso es una máquina.

**M:** ¡Ah! Vale, vale.

**N:** Y podría, según dice el artículo, podría haber ganado ciento cincuenta millones de dólares si lo hubiera registrado, o sea, que sería rico.

**M:** Claro, ahora todo el mundo usa el karaoke.

**N:** Lo patentó otra firma, pero no él.

**M:** ¡Ah! Pero y cómo se sabe que es él.

**N:** Ah, pues porque parece ser, que pone aquí, que en Asia, en el 96, un canal de televisión, reveló, en Singapur, reveló que él había sido el creador del karaoke y que vivía en el anonimato, como cosa curiosa.

**M:** Mmmm, ¿pero cuándo lo inventó? ¿En el 96?

**N:** En el 71, pero espera, espera, también es curioso que en Japón, ¿sabes para qué se usa el karaoke? Para curar la depresión y la soledad en los hospitales.

**M:** No te puedo creer...

**N:** Pues créeme, créeme. Y también dice que sirve para romper el hielo en reunión y para el aprendizaje de lenguas extranjeras.

**M:** ¡Jajajajja!, ¡qué bueno!

*- Entre sus tareas se incluía la de coordinar a todo el equipo de redactores.*

**B.** Forme grupos de tres y anime a sus estudiantes a comentar quién creen que obtendrá el trabajo. Pídales que justifiquen sus opiniones. Acérquese a los diferentes grupos mientras realizan la actividad para ayudarlos si es necesario. Para terminar, puede pedir a cada grupo que comunique al resto si se han puesto de acuerdo en quién creen que obtendrá el trabajo.

## MÁS EJERCICIOS
Página 148 , ejercicio 7.

## 7. EXAGERADOS
*Elegir un puesto de trabajo. Preparar una presentación oral. Elegir al mejor candidato para cada puesto.*

### OBSERVACIONES PREVIAS
En el apartado **B** se anima a los alumnos a que, después de preparar su presentación oral, se agrupen con los compañeros que han elegido el mismo trabajo. Puede ocurrir que solo un alumno elija un determinado trabajo y, por lo tanto, se quede sin grupo. Una propuesta para evitar esto es formar los grupos en el apartado **A** de la siguiente manera: individualmente, eligen el trabajo que les gustaría conseguir, y antes de preparar su presentación oral con su experiencia, forman grupo con los compañeros que han elegido el mismo, se les informa de que los grupos se forman porque más adelante elegirán al mejor candidato para el puesto.

Si un alumno se queda solo tiene la oportunidad de cambiar su opción y elegir una de los grupos ya formados. A partir de aquí, continúan, individualmente, preparando una presentación oral de su candidatura. En el apartado **B** defenderán su candidatura dentro de cada grupo.

### ANTES DE EMPEZAR
Pida a sus alumnos que escriban una lista de las cosas que hay que tener en cuenta para tener éxito en una entrevista de trabajo. Recuérdeles que el ejercicio 7 de la página 148, que ya realizaron, les puede servir de ayuda. Haga una puesta en común, acepte las respuestas pero seleccione aquellas que se dirigen hacia la presentación oral del candidato. Asegúrese de que se mencionan cosas como: **no mostrar inseguridad**, **saber venderse**, **mostrar interés por la empresa**, **demostrar buenas aptitudes para el puesto**.

### PROCEDIMIENTOS
**A.** Asegúrese de que sus alumnos conocen el término **exagerado**. Invítelos a que, individualmente, elijan un puesto de trabajo de los que aparecen en el cuadro, el que más les atraiga, y pídales que, teniendo en cuenta lo que se ha comentado anteriormente, preparen una presentación oral en la que pueden exagerar todo lo que quieran acerca de sus aptitudes y experiencia para el puesto de trabajo.

**B.** Anímelos a que busquen a los compañeros que han elegido la misma profesión y formen un grupo. Cada componente del grupo hará su exposición oral y, entre todos, elegirán la mejor.

### Y DESPUÉS
Si le parece conveniente, puede proponer, en clase abierta, que el candidato seleccionado de cada grupo realice, de nuevo, su presentación oral al resto de los grupos, que desempeñarán el papel de entrevistadores, pudiéndole hacer preguntas y decidiendo si consigue o no el puesto de trabajo que pretende.

### MÁS EJERCICIOS
Página 149, ejercicio 14.

## 8. JEFES
*Escuchar los comentarios de dos personas sobre los jefes que han tenido y contestar a unas preguntas. Comentar recuerdos de los jefes. Elaborar una lista con las seis cualidades de un buen jefe.*

### ANTES DE EMPEZAR
En el caso de que los alumnos aún no hayan tenido ninguna experiencia laboral, puede trasladar la reflexión sobre los jefes a una reflexión sobre los profesores.

Pregunte a sus alumnos si son o han sido jefes en alguna empresa. Si la respuesta es afirmativa interésese por su experiencia, positiva o negativa. Si ninguno ha sido jefe, pregúnteles si les gustaría serlo y por qué.

### PROCEDIMIENTOS
**A.** Informe a sus estudiantes de que van a escuchar a dos personas, Rosa y Juan Luis, que explican los recuerdos que guardan de los jefes que han tenido. Pídales que contesten a las preguntas.

*Solución*
Rosa:
*- Su jefa era una persona legal que sabía valorar el trabajo de los demás*
*- Aprendió a autovalorarse y a tener confianza en su capacidad.*
*- Tiene un buen recuerdo de su jefa*

Juan Luis:
*- Su jefe era serio, distante, mayor.*
*- Aprendió que la comunicación entre jefes y empleados es necesaria.*
*- Tiene un buen recuerdo de su jefe.*

**B.** Forme parejas e invítelos a pensar y a comentar los recuerdos que tienen de sus jefes. Si algún alumno no ha tenido nunca jefes, anímelo a comentar lo que recuerde sobre algún profesor que hayan tenido.

**c.** Forme grupos de tres. Pídales que discutan y decidan las seis características de un buen jefe. Remítalos al cuadro de vocabulario que aparece en el libro e insista en que también pueden añadir palabras que no estén en el cuadro. Para las dudas de vocabulario que puedan aparecer, recuérdeles que pueden apoyarse en el diccionario o buscar ayuda en los compañeros o en usted.

Haga una puesta en común en clase abierta y recoja en la pizarra las cualidades que coinciden en todos los grupos.

## Y DESPUÉS
Entrégueles fotocopias del texto de la página anterior. Pídales que lo lean y que, en los mismos grupos de tres, se fijen en si aparecen las cualidades contrarias a las que ellos habían propuesto. Sugiérales que continúen la lista si creen que falta alguna característica.

## MÁS EJERCICIOS
Página 146, ejercicio 3.

## 9. PONER PEGAS
*Tratar de convencer a un compañero para que acepte una propuesta. Este, por su parte, tiene que poner inconvenientes a la propuesta.*

### ANTES DE EMPEZAR
Escriba en la pizarra la frase: **poner pegas** y pregunte a sus alumnos por el significado. Si no lo conocen, explíqueselo dándoles algún ejemplo.

### PROCEDIMIENTOS
Presente a sus alumnos, en clase abierta, las dos propuestas que aparecen. Forme parejas y anímelos a que elijan una de las dos. Sugiérales también la posibilidad de que se inventen una tercera propuesta si ninguna de las dos les interesa. Uno de los miembros de la pareja tiene que hacer la propuesta y argumentarla para tratar de convencer al compañero; este, por su parte, tiene que plantear todos los inconvenientes que se le ocurran. Deles un tiempo para que, individualmente, preparen sus argumentos.

En el caso de que tenga un número impar de alumnos,

## GUÍA PARA SER EL PEOR DE LOS JEFES

- Dé órdenes continuamente: es importante que no pida, ni pregunte, ni sugiera. Directamente: ¡ordene!

- Sea desorganizado: coloque las cosas de su mesa y todo lo que le rodea de forma que parezca un auténtico caos. Prohíba a sus trabajadores el uso de agendas, archivadores y cualquier utensilio que pueda facilitar orden.

- Alardee de su prepotencia: no muestre interés por la opinión de los demás. Recuerde que usted, siempre, y en cualquier situación, tiene la razón.

- Desarrolle su incompetencia: no tome decisiones ya que en usted también existe, aunque remota, la posibilidad de equivocarse. Mejor que se equivoquen los otros.

- Elija a familiares y amigos para ocupar los puestos de responsabilidad siempre que no estén capacitados para desempeñar sus funciones.

- No se forme: usted ya es el jefe, ¿qué más formación necesita?

- Fomente el individualismo: dos o más trabajadores en un mismo proyecto es peligroso, podrían hacerlo demasiado bien.

- Favorezca el mal ambiente: critique a sus empleados delante de todos. Haga hincapié en los errores, ofrezca castigos, ridiculice. Si hay algún acierto no olvide adjudicárselo usted.

- Promocione a los trabajadores que más valgan: la valía está en función de su religión, sexo, estado civil y aficiones que tiene en común con usted. Le interesan los capacitados para servir el café, alabarle sus trajes y dispuestos a agradecerle cada tres minutos la suerte que tienen de trabajar para usted.

- Huya de la inteligencia emocional: no salude por la mañana, no se interese jamás por la situación personal, estado anímico o físico de sus trabajadores (si les pregunta, son capaces de contárselo). Y, sobre todo, no recuerde nunca el nombre de ninguno de sus súbditos.

puede formar parejas y un trío en el cual el papel del tercero será decidir, en función de los argumentos a favor y en contra, si se acepta o no la propuesta.

## 10. ¿ESTÁ BIEN ESCRITO?
*Corregir los errores de una carta de presentación para un trabajo y reescribirla.*

### ANTES DE EMPEZAR
Interésese por saber si sus alumnos, cuando envían un currículo, lo hacen por correo postal, por correo electrónico o prefieren entregarlo en mano y por qué. Pregúnteles qué es necesario adjuntar al currículo en el caso de enviarlo por correo; procure que se diga **la carta de presentación**. Propóngales que, en grupos de tres, realicen una lista con la información que crean que debe aparecer en la carta de presentación que acompaña al currículo (una explicación sobre cómo debe estar ordenada, fórmulas de saludo y despedida, tratamiento, etc.). Realice una puesta en común y recoja en la pizarra las propuestas de sus alumnos, siempre que estén justificadas.

### PROCEDIMIENTO
Proponga a sus alumnos que, de forma individual, lean la carta y le den una nota, por ejemplo, del 0 al 10, a Martha. Realice una puesta en común y recoja en la pizarra las diferentes notas que le digan.

Pídales ahora que vuelvan a leer la carta y, en parejas, comenten si están o no de acuerdo con los comentarios y lo subrayado por la profesora de Martha. Remita a sus estudiantes al apartado *Dar coherencia y cohesión a un texto*, de la página 95. Invítelos a que se fijen en los elementos que aparecen en los textos: *Bajan las temperaturas* y *Maradinho lesionado* y aclare las dudas que pudieran surgir. Si lo cree conveniente, puede ampliar la lista de conectores con los siguientes:

Causales: **ya que**, **dado que**
Concesivos: **aun**
Consecutivos: **en consecuencia**, **de ahí**, **entonces**

Retome las propuestas que sus alumnos hicieron antes de empezar la actividad, sobre el contenido y el formato de una carta de presentación. Con lo que han visto hasta ahora, invíteles, en clase abierta, a que completen o modifiquen la lista si lo creen necesario.

Anímelos, con una tercera lectura, a buscar más errores o reformulaciones. Finalmente, pídales que reescriban la carta. Después indíqueles que intercambien su carta con la del compañero y la corrijan.

Finalmente, le proponemos, a modo de ejemplo, una posible carta (en la página siguiente). Si lo cree conveniente puede fotocopiarla y entregársela a sus alumnos para que la comparen con la que ellos han reescrito.

## 11. TRABAJO TEMPORAL
*Escribir el texto promocional de un enlace de una página web de trabajo temporal.*

### OBSERVACIONES PREVIAS
En los apartados **A** y **B** de esta actividad los alumnos elaborarán un "producto" que pueden incluir en su Portfolio.

### PROCEDIMIENTOS
**A.** Presente a sus alumnos la página web que está creando la empresa TT Labores. Infórmelos sobre la actividad de la empresa y anímelos a comentar su opinión sobre el diseño de la página: colores, tipo de letra, distribución…

Forme grupos de tres y ofrézcales la posibilidad de diseñar un enlace para este sitio web; pueden elegir entre el enlace de los candidatos o el de las empresas. Remítalos a las ideas que aparecen para cada enlace e infórmeles de que además de las ideas propuestas pueden pensar otras.

**B.** Pídales que intercambien su texto con otro grupo y corrijan el texto que han recibido, poniendo atención a los aspectos gramaticales así como a la distribución de la información. Sugiérales que escriban las notas que crean necesarias para que el otro grupo pueda mejorarlo.

Al terminar la corrección, pídales que devuelvan el texto al grupo correspondiente y propóngales reescribir el suyo teniendo en cuenta las anotaciones que han recibido.

### Y DESPUÉS
Propóngales la siguiente tarea como deberes: tienen que buscar información en Internet sobre páginas web para buscar trabajo en países hispanos, elegir la que les parece mejor, y justificar su elección. El siguiente día de clase puede formar grupos de tres en los que cada miembro presentará una página y se elegirá la mejor. Después, en clase abierta, cada grupo expondrá su elección al resto de la clase y entre todos elegirán, de nuevo, la mejor web.

Si lo cree conveniente, puede darles las siguientes direcciones, pero anímelos a buscar otras.

www.infojobs.net
www.computrabajo.es
www.contactosdetrabajo.com
www.trabajos.com
www.infoempleo.com

Estimados señores:

me pongo en contacto con ustedes para solicitar el puesto de relaciones públicas en su empresa anunciado, el pasado viernes 9 del presente mes, en el periódico *La Tribuna*.

Soy licenciada en psicología y he trabajado en el departamento de recursos humanos en diferentes empresas; desde el año 2005 trabajo para SARAMODAS. Durante este tiempo he conseguido consolidar mi experiencia profesional, y esto hace que me plantee nuevos objetivos laborales.

Les adjunto mi currículo ya que creo reunir el perfil adecuado para el puesto que ofrecen. Soy una persona dinámica y sociable, es por eso que me integro con facilidad en cualquier entorno laboral y el trabajo en equipo me parece enriquecedor. Responsabilidad e iniciativa son otras de la aptitudes que me caracterizan, así como la capacidad de planificación y organización de mis tareas. Por todo ello, me siento capaz de afrontar los retos que un trabajo como el que ustedes ofrecen supone.

Quedo a su disposición para una entrevista personal con el fin de profundizar en cualquiera de los datos aportados.

Cordialmente,

Martha Coogan

---

## MÁS CULTURA

## 1. DE PROFESIÓN, CATADOR

*Hablar de los productos típicos de los países de los estudiantes. Leer un texto sobre catadores de tres productos típicos.*

### PROCEDIMIENTOS

**A.** Lea el título de la actividad en voz alta a sus estudiantes y pregúnteles si conocen la profesión de catador (si no reconocen la palabra, explíquesela). Pregúnteles, también, si les gustaría dedicarse a ser catadores de algún producto y si conocen a alguien que tenga esta profesión. Luego, pida a sus estudiantes que, individualmente, escriban una lista de los productos que son típicos de su país y piensen todo lo que conocen sobre el producto.

Les puede dar el siguiente ejemplo: **en España existe un queso, el Cabrales, que se produce en la región de Asturias. Se elabora con leche de vaca, oveja y cabra, se cubre con hojas de arce y se deja madurar entre dos y cuatro meses en cuevas naturales de los Picos de Europa. Su sabor y olor son fuertes y su apariencia es un poco similar al roquefort francés, aunque el sabor es distinto.** Si algunos de sus estudiantes son del mismo país anímelos a que realicen su lista en conjunto.

Después, realice una puesta en común en clase abierta. Cada estudiante o grupo de estudiantes de un mismo país presentará a los demás sus productos típicos, pero antes dará un tiempo para que el resto de los compañeros digan qué productos conocen de aquel país. Luego ofrecerán su exposición, que confirmará o enmendará lo que han mencionado antes los demás.

**B.** Pregunte a sus alumnos qué saben del aceite de oliva, el café y el jamón, si los han probado y si sabrían reconocer su calidad. Entregue a sus alumnos fotocopias del cuadro que aparece en la parte inferior de la página siguiente y pídales que, individualmente, marquen si creen que las afirmaciones son verdaderas o falsas, según lo que ellos conocen de los tres productos mencionados.

Anímelos a que comparen sus respuestas con las de un compañero. A continuación, remítalos al texto que aparece en el libro, donde encontrarán las soluciones.

*Solución*

| | | |
|---|---|---|
| 1. V | 4. F | 7. F |
| 2. F | 5. V | 8. V |
| 3. F | 6. F | 9. F |

## 2. OCUPACIONES RARAS

*Leer un relato de Julio Cortázar. Hacer hipótesis sobre la actuación de los protagonistas del relato si estuvieran a cargo de un supermercado.*

### PROCEDIMIENTOS

**A.** Pregunte a sus estudiantes si conocen a alguien que trabaje en una oficina de correos y si les parece interesante trabajar allí. Luego, forme grupos de tres (A, B y C), y pídales que, con ayuda del diccionario, escriban una lista con dos columnas, una con actividades que se llevan a cabo en una oficina de correos y otra con las palabras que asocian a este tipo de establecimiento. Puede darles ejemplos como **enviar un giro postal** (en la columna **Actividades**) y **apartado de correos** (en la columna **Vocabulario**).

Forme ahora tres grupos, uno con todos los A, otro con todos los B y otro con todos los C, y anímelos a que compartan sus listas y las amplíen con el vocabulario de sus compañeros. Durante el desarrollo de la actividad, acérquese a sus estudiantes para corregirles y ayudarlos en las dudas que les surjan.

**B.** Pregúnteles si conocen a Julio Cortázar, si han leído algo de él. Anímelos a leer la breve biografía que aparece en el libro. Remita a sus estudiantes al texto que encontrarán a su lado, coménteles que es un relato de la serie "Ocupaciones raras", del libro *Historias de cronopios y de famas*. Pídales que lo lean y busquen qué palabras, de las dos listas que ellos habían escrito en el apartado **A**, aparecen en el relato.

**C.** Forme grupos de tres y anime a sus estudiantes a que imaginen qué harían los protagonistas del relato anterior si se les pusiera a cargo de un supermercado. Después, realice una puesta en común para que compartan las respuestas de los distintos grupos.

### Y DESPUÉS

Si sus alumnos están interesados en conocer más sobre la vida y obra de Cortázar puede recomendarles las siguientes páginas web, donde encontrarán una amplia biografía y fragmentos de algunas de sus obras en formato escrito y otros en audio narrados por el propio autor.:

www.juliocortazar.com.ar
www.geocities.com/juliocortazar_arg/juliocortazar.htm

|  |  | V | F |
|---|---|---|---|
| 1 | En España existen 260 especies de olivos. | ☐ | ☐ |
| 2 | El color del aceite no tiene relación con su sabor. | ☐ | ☐ |
| 3 | El aceite se cata frío. | ☐ | ☐ |
| 4 | El mejor café es el que se elabora a partir de granos tostados con azúcar. | ☐ | ☐ |
| 5 | Es recomendable tomar el café solo y sin azúcar. | ☐ | ☐ |
| 6 | Para la cata de café se limpia la boca con manzana. | ☐ | ☐ |
| 7 | La forma de cortar el jamón no altera sus propiedades. | ☐ | ☐ |
| 8 | El jamón ibérico tiene más grasa que los demás. | ☐ | ☐ |
| 9 | Para catar el jamón solo son necesarios dos sentidos: el olfato y el gusto. | ☐ | ☐ |

# 10 COMO NO LO SABÍA...

Remita a sus estudiantes a la fotografía de la portadilla y pregúnteles: **¿dónde creéis que está este chico? ¿Qué creéis que ha podido pasar?**

Pídales que relacionen el título de la unidad (**Como no lo sabía...**) con la fotografía y que terminen la frase. Las posibilidades son múltiples y todas aceptables si las justifican adecuadamente. Anímelos a que comenten sus respuestas en grupos de cuatro.

Por último, presente los contenidos de la unidad y la tarea final: juzgar algunas decisiones y sus consecuencias.

## COMPRENDER

### 1. CAMBIAR EL MUNDO

*Leer dos textos sobre dos iniciativas para mejorar el mundo y valorarlas. Imaginar un taller o curso necesario. Exponer ideas y habilidades propias para ayudar en nuestro entorno.*

#### ANTES DE EMPEZAR
Interésese por saber qué ONG y grupos con iniciativas de ayuda a los demás conocen sus alumnos, cuáles son más populares en sus países, qué tipo de actividades realizan y si forman parte de alguna de ellas.

#### PROCEDIMIENTOS
**A.** Remita a sus alumnos a los textos que aparecen en el libro, pídales que los lean y decidan la iniciativa que les parezca más necesaria. Después, anímelos a que lo comenten en parejas.

**B.** Pídales que, en parejas (un alumno será A y otro, B), imaginen un taller o curso que les parezca necesario; tienen que decidir a quién va dirigido, por qué y para qué se necesita. En clase abierta, anime a que cada pareja exponga su idea al resto de compañeros. Anime a los demás a que formulen preguntas si necesitan aclaraciones o más información sobre la idea y a que la valoren, teniendo en cuenta la necesidad y la viabilidad de la misma.

**C.** Teniendo en cuenta las parejas formadas en el apartado anterior, forme ahora dos grupos y distribuya en uno todos los alumnos A y en el otro todos los B. Pídales que comenten si podrían colaborar en alguno de los talleres o cursos propuestos por sus compañeros en el apartado **B.** Anímelos a que cada uno comparta sus habilidades con los demás y a que explique cómo las aprendió.

#### MÁS EJERCICIOS
Página 151, ejercicio 5.

### 2. ESCUELAS ALTERNATIVAS

*Leer un texto sobre una escuela alternativa y elaborar una lista de los argumentos a favor y en contra de ese tipo de escuela. Hablar del tipo de escuela en la que estudiaron y encontrar a los compañeros que tienen experiencias escolares similares.*

#### ANTES DE EMPEZAR
Proponga, a sus estudiantes, organizar una charla sobre la situación actual de la educación en sus respectivos países. Anímelos a que comenten cómo es el sistema educativo, qué tipos de escuelas existen (públicas, privadas, concertadas, laicas, religiosas, etc.), cómo es la relación entre profesores y alumnos, qué metodologías se emplean... Sugiérales, si no tienen un conocimiento muy directo, que recurran a experiencias de amigos o familiares con hijos en edad escolar.

Si sus alumnos muestran interés en conocer cómo es el sistema educativo español y si lo cree conveniente, puede remitirlos al ejercicio 11 de la página 154, o bien proponerlo como tarea para realizar en casa.

#### PROCEDIMIENTOS
**A.** Pída a sus estudiantes que lean el artículo, valoren las alternativas pedagógicas que propone y piensen si llevarían a sus hijos a una escuela de este tipo. Después, propóngales que, individualmente, elaboren una lista con los argumentos a favor y en contra de ese modelo educativo. Anímelos a que, en parejas, comparen sus listas y comenten sus coincidencias y diferencias.

**B.** En clase abierta, interésese por saber en qué tipo de escuelas han estudiado o estudian (en el caso de que sean adolescentes) y qué recuerdos tienen.

Infórmeles de que van a tener que encontrar a los compañeros de la clase que:
- pasaban más tiempo en la escuela,
- fueron castigados más veces,
- eran los más empollones,
- fueron a la escuela más estricta,
- hacían más novillos.

Para ello, deles tiempo para que, individualmente, elaboren un cuestionario con las preguntas que crean necesarias para obtener la información. Ayúdelos con las dudas que les puedan surgir. Después, pídales que se levanten y formulen sus preguntas a los compañeros. Cuando estén sentados de nuevo, realice una puesta en común con las conclusiones de cada uno; si lo cree conveniente puede anotar en la pizarra el recuento de la votación.

#### MÁS EJERCICIOS
Página 154, ejercicio 11.

## EXPLORAR Y REFLEXIONAR

### 3. ¿SE ARREPIENTEN?

*Reflexionar sobre la formación de las hipótesis en el pasado que dependen de una condición y la construcción del Pretérito Pluscuamperfecto de Subjuntivo y el Condicional Compuesto.*

#### ANTES DE EMPEZAR
Escriba en la pizarra el verbo **arrepentirse** y asegúrese de que sus estudiantes lo comprenden. Explíqueles una situación de este estilo: **un amigo le vendía a usted un coche en buen estado y a muy buen precio pero usted**

quiso mirar otros modelos y cuando, finalmente, se decidió por el de su amigo, él ya lo había vendido. Ahora se arrepiente de no haberse decidido antes. Anímelos a dar otros ejemplos de situaciones de arrepentimiento que recuerden, aunque no estén protagonizadas por ellos.

## PROCEDIMIENTOS

**A.** Remítalos a las frases que aparecen en el libro. Coménteles que se trata de las decisiones que tomaron estas cinco personas. Pídales que las lean y digan, en cada caso, si creen que se arrepienten o se alegran de haberlas tomado. Realice una puesta en común para comentar las respuestas.

Es importante que vean que, en todos los casos, las personas están haciendo hipótesis imposibles de cumplir porque se refieren al pasado.

Remítalos, de nuevo, a las frases y hágales notar que, en todas ellas, aparece una condición y una consecuencia. Pídales que las separen y deles la primera a modo de ejemplo:

**Condición → Si no hubiera roto con Juanita Consecuencia → nunca habría conocido a Luisa, el amor de mi vida.**

Realice una puesta en común en clase abierta. Coménteles que la condición puede ir al principio o al final de la frase (como en el caso de la decisión de Eloy).

Ahora pídales que se fijen en los verbos que aparecen en negrita para expresar la condición y la consecuencia. Invítelos a que traten de identificar qué tiempos verbales aparecen; se trata de que reconozcan el Imperfecto de Subjuntivo en **hubiera** o **hubiese** y el Condicional Simple en **habría**. Hágales notar que, en todos los casos, les acompaña un Participio y esto hace que formen un nuevo tiempo verbal. Remítalos al apartado CONSULTAR de la página 104, donde aparece la construcción del Pretérito Pluscuamperfecto y del Condicional Compuesto.

Reflexione con ellos sobre las estructuras de condicional que aparecen en el mismo apartado CONSULTAR. Anímelos a que, a través de los ejemplos que aparecen, se fijen en cómo la condición siempre se expresa con el Pretérito Pluscuamperfecto de Subjuntivo, mientras que la consecuencia puede presentarse con distintas formas verbales: en Pretérito Pluscuamperfecto de Subjuntivo o bien en Condicional Compuesto cuando afecta al pasado, y en Condicional Simple cuando afecta al presente.

**B.** Invítelos a que completen las frases que aparecen según su punto de vista, teniendo en cuenta las estructuras necesarias, que acaban de ver. Anímelos a que las comenten con un compañero.

Durante las dos fases de esta actividad, individual y de trabajo en parejas, conviene que se acerque a los estudiantes para resolverles dudas que puedan surgir y corregir sus producciones.

## MÁS EJERCICIOS
Página 150, ejercicio 3.
Página 152, ejercicio 7.

# 4. REPROCHES
*Relacionar una serie de acciones con los reproches correspondientes. Observar el funcionamiento de algunos pronombres y su posición en una frase.*

## OBSERVACIONES PREVIAS
Probablemente sus estudiantes ya habrán visto los pronombres de Objeto Directo e Indirecto en niveles anteriores. En esta actividad tendrán la oportunidad de revisarlos y estudiarlos en profundidad atendiendo, sobre todo, a la posición de los mismos con respecto al verbo.

## PROCEDIMIENTOS
**A.** Asegúrese de que sus alumnos comprenden el significado de la palabra **reproche**. Presente las cinco situaciones que aparecen en la columna de la izquierda y pida que las relacionen con el reproche correspondiente en la columna de la derecha.

**B.** Infórmelos de que van a comprobar si sus respuestas son correctas y de que, para ello, van a escuchar cada situación y su reproche.

*Solución*
*1. Sinceramente, creo que deberías habérselo dicho.*
*2. Pues podrías habérselo pagado. ¡Pobrecillo!*
*3. Bueno, no pasa nada, pero me lo podrías haber dicho antes. Ahora tengo poco tiempo para encontrar una sustituta.*
*4. ¡Hombre! Te las tendría que haber dado, ¿no?*
*5. Y con razón, porque ahora están carísimos. Tendrías que habértelo comprado...*

Pregunte a sus estudiantes si están o no de acuerdo con los reproches que se han hecho en cada situación, y si ellos reprocharían lo mismo. Pídales que se fijen en los verbos con los que se formulan los reproches. Antes de realizar la puesta en común, remita a sus estudiantes a la sección *Reprochar* del apartado CONSULTAR.

**C.** Remítalos, de nuevo, a los cuadros de los reproches que aparecen en la actividad y pídales ahora que, en parejas, se fijen en los pronombres que aparecen en negrita e identifiquen a qué o quién se refiere cada uno. Anímelos a reflexionar sobre las diferentes posiciones que pueden ocupar en la frase. Para realizar la puesta en común, remita de nuevo, a sus estudiantes al apartado *Reprochar* de la sección CONSULTAR.

Marta llevaba diez años trabajando en una empresa de publicidad muy importante. Ocupaba un puesto como creativa y ganaba un buen sueldo. Estaba muy bien considerada en al empresa y se había ganado el respeto de sus jefes y compañeros. Allí conoció a Juan, que trabajaba como recepcionista. El primer día que se vieron surgió el flechazo y a los tres meses ya estaban viviendo juntos. Al principio todo iba bien, pero pronto empezaron los problemas. Marta estaba muy poco tiempo en casa a causa de los viajes y las cenas de trabajo. Muchos fines de semana se reunía para jugar al golf con otros directivos y, a veces, con algún cliente. Ella le pedía a Juan que la acompañara pero él no se sentía a gusto en ese ambiente. Le reprochaba a Marta que priorizara el trabajo sobre la pareja. Él insistía en tener hijos pero ella pensaba que todavía no era el momento, que podían esperar un año más. A pesar de que las discusiones eran cada vez más frecuentes, los dos estaban muy enamorados y seguían intentando que la relación funcionara.

Cristina, la hermana de Marta, era tres años más joven que ella. Siempre habían estado muy unidas, a pesar de que sus vidas eran muy diferentes. Cristina trabajaba como administrativa y era muy hogareña. A Juan le caía muy bien y, durante las ausencias de Marta, los dos quedaban para cenar o ir al cine. Un día, a Marta le ofrecieron el puesto de vicepresidenta en la compañía: estaba emocionada, pensaba que era la oportunidad de su vida. Cuando se lo comentó a Juan, este se puso hecho una furia y le dio un ultimátum: o el puesto de vicepresidenta o la relación. Ella decidió apostar por la relación y renunció a la vicepresidencia y a algunos proyectos para poder estar más tiempo en casa. Sin embargo, las cosas entre los dos no mejoraron. Marta se sentía frustrada y, aunque no se lo decía, pensaba que Juan sentía celos de su éxito profesional. Él se sentía culpable y solo encontraba consuelo en Cristina, que le comprendía y le ayudaba. Ella opinaba que su hermana era una egoísta.

Finalmente Marta y Juan se separaron; él se fue a vivir con Cristina y Marta decidió cambiar de ciudad y buscar otro trabajo.

---

Piensa, ahora, una respuesta a estas preguntas:

1. ¿Quién fue el más culpable de la separación? ¿Por qué?
2. ¿Qué le reprocharías a cada uno?
3. ¿Qué hubieras hecho tú en el lugar de cada uno?

---

## Y DESPUÉS

Si lo cree conveniente, puede repartir a sus estudiantes fotocopias del texto que aparece sobre estas líneas. Pídales que lo lean y que contesten a las preguntas. Después, forme grupos de cuatro y propóngales que discutan sus respuestas. Finalmente, en clase abierta, anímelos a que comenten las conclusiones de cada grupo.

## MÁS EJERCICIOS

Página 153, ejercicio 10.

## 5. CAUSAS Y CONSECUENCIAS

*Relacionar una serie de causas con sus consecuencias. Reflexionar sobre los conectores para la expresión de causa y las construcciones enfáticas con valor causal.*

### PROCEDIMIENTOS

**A.** Pida a sus alumnos que relacionen el inicio de cada frase con su final correspondiente. Realice una puesta en común para comprobar las respuestas.

*Solución*

| | | | | |
|---|---|---|---|---|
| 1. f | 2. b | 3. h | 4. c | 5. a |
| 6. i | 7. d | 8. j | 9. g | 10. e |

Anímelos a que en, en parejas, comenten si alguna de estas frases podría reflejar alguna experiencia personal suya o bien alguna experiencia totalmente opuesta a la suya. Propóngales que se fijen en los pares de frases que han unido y subrayen, de cada par, la frase que expresa la causa. Procure que se fijen en las palabras resaltadas que introducen la causa. Remítalos a la sección *Informar sobre causas y razones* del apartado CONSULTAR, en las páginas 104 y 105, para que puedan reflexionar sobre la diferencia de matiz entre los distintos conectores, y realice una puesta en común.

**B.** Pida a sus estudiantes que realicen la actividad conectando cada par de frases con el conector de causa que les parezca apropiado. Coménteles que tal vez tengan que modificar algún elemento para que la frase sea correcta y que puede haber más de un conector correcto en cada caso. Forme grupos de tres y anímelos a que comparen sus respuestas y comenten en qué contextos se utilizaría cada una de las frases que hayan salido.

### Solución (sugerencia)

- *Corre _tanto que_ algún día tendrá un accidente.*
- *_Por_ correr demasiado, algún día tendrá un accidente.*

- *El ministro de sanidad suspende una reunión _debido a/a causa de/por/por culpa de_ un problema intestinal.*
- *_Como_ ha tenido un problema intestinal, el ministro de sanidad ha suspendido una reunión.*

- *Un millonario da 1 000 000 de euros a un policía _porque_ le salvó la vida.*
- *Un millonario da 1 000 000 de euros a un policía _por haberle salvado_ la vida.*

- *Eran _tan_ diferentes _que_ se separaron al poco tiempo de casarse.*
- *_De tan_ diferentes _que_ eran se separaron al poco tiempo de casarse.*
- *Se separaron al poco tiempo de casarse _por culpa de lo_ diferentes que eran.*
- *_Como_ eran muy diferentes, se separaron al poco tiempo de casarse.*

- *Las empresas contratan a más mujeres _ya que/puesto que/dado que_ rinden más que los hombres.*
- *_Las_ mujeres, _al rendir_ más que los hombres, son más contratadas por las empresas.*
- *_Como_ las mujeres rinden más que los hombres, son más contratadas por las empresas.*
- *Las mujeres son más contratadas por las empresas _porque_ rinden más que los hombres.*

- *Me dolía _tanto_ el brazo _que_ no pude terminar el partido de tenis.*
- *_De tanto que_ me dolía el brazo, no pude terminar el partido de tenis.*
- *_Del_ dolor _tan_ fuerte _que_ tenía en el brazo, no pude terminar el partido de tenis.*
- *No pude terminar el partido de tenis _porque_ tenía un dolor muy fuerte en el brazo.*

- *No pude terminar el partido de tenis _por culpa de/a causa de_ un dolor muy fuerte en el brazo.*
- *_Al_ dolerme el brazo, no pude terminar el partido de tenis.*
- *_Como_ me dolía el brazo, no pude terminar el partido de tenis.*
- *No pude terminar el partido _ya que_ me dolía mucho el brazo.*

- *Hacía _tanto_ calor _que_ decidimos ir a la playa.*
- *_Como_ hacía _tanto_ calor decidimos ir a la playa.*
- *_Del_ calor _que_ hacía, decidimos ir a la playa.*
- *Decidimos ir a la playa _porque_ hacía mucho calor.*
- *_Al_ hacer _tanto_ calor, decidimos ir a la playa.*
- *_Con el_ calor _que_ hacía, decidimos ir a la playa.*

- *_Con_ los exámenes, el calor y la presión de todos, le dio un ataque de ansiedad.*
- *Le dio un ataque de ansiedad _por culpa de/ a causa de_ los exámenes, el calor y la presión de todos.*
- *_Como_ tenía exámenes, hacía calor y todos le presionaban, le dio un ataque de ansiedad.*
- *Le dio un ataque de ansiedad _porque_ tenía exámenes, hacía calor y todos le presionaban.*

## MÁS EJERCICIOS
Página 150, ejercicio 2.
Página 152, ejercicio 8.

---

## PRACTICAR Y COMUNICAR

## 6. ¿QUÉ HUBIERA PASADO SI...?
*Formular hipótesis sobre sucesos en el pasado.*

### PROCEDIMIENTOS

**A.** Pida a sus alumnos que, individualmente, piensen y formulen por escrito sus hipótesis para los sucesos que se plantean en el libro. Forme grupos de tres y anímelos a que las comenten y elijan las más divertidas u originales.

**B.** Infórmelos de que van a hacer un concurso de hipótesis en el pasado, por equipos. Ganará el equipo que formule las preguntas más originales y el que dé las respuestas más divertidas. Forme grupos de tres y pídales que piensen y formulen tres preguntas del tipo **¿qué hubiera pasado si...?**

Después lleve a cabo el concurso. Cada equipo formulará, por turnos, una pregunta y el resto de equipos dispondrán de un minuto para discutir y dar la respuesta más original que se les ocurra. En cada turno, el equipo que ha formulado la pregunta valorará, del 1 al 3, las respuestas recibidas, y los otros equipos acordarán, también valorando del 1 al 3, la puntuación de la pregunta. Aclare que más puntos significa más originalidad.

Se pueden recoger los resultados en la pizarra en una tabla como esta:

| Equipo | Puntuación preguntas | Total | Puntuación respuestas | Total |
|--------|----------------------|-------|-----------------------|-------|
| A      |                      |       |                       |       |
| B      |                      |       |                       |       |
| C      |                      |       |                       |       |
| D      |                      |       |                       |       |

## MÁS EJERCICIOS
Página 150, ejercicio 1.
Página 153, ejercicio 9.

## 7. PORQUE SÍ
*Relacionar, utilizando conectores, las informaciones de una experiencia.*

### ANTES DE EMPEZAR
Escriba en la pizarra:

**Tener problemas...**
**a) en un viaje al desierto.**
**b) informáticos.**
**c) para encontrar trabajo en otra ciudad.**
**d) al comprar o vender una casa.**
**e) con los retrasos de aviones.**
**f) en un safari.**
**g) por salir de fiesta todas las noches.**
**h) al comprar ropa.**

Remita a sus alumnos a las fotos que aparecen en el libro. Coménteles que corresponden a situaciones en las que diferentes personas han tenido algún problema de los que están anotados en la pizarra. Pídales que relacionen los problemas con las fotos.

Anímelos a que comenten si ellos, o algún amigo o familiar, han tenido, alguna vez, algún problema de este tipo.

### PROCEDIMIENTOS
**A.** Comente a sus estudiantes que las informaciones que aparecen al pie de cada foto corresponden a las experiencias vividas por diferentes personas. Deténgase en la primera foto y hágales notar la falta de conexión entre las distintas frases y cómo quedarían conectadas en el ejemplo que aparece en el libro. Pídales que lean el resto y las reformulen, usando los conectores apropiados y teniendo en cuenta que no hay una solución única. Recuérdeles que pueden consultar el apartado *Informar sobre causas y razones* de la sección CONSULTAR.

Anímelos a que comparen sus propuestas con las de un compañero. Durante esta fase de comparación, acérquese para corregir sus producciones y resolver las posibles dudas de sus alumnos.

### *Solución (sugerencia)*
- *Como Carolina salía cada noche hasta las tantas, llegaba siempre tarde a clase y no participaba mucho, al final, suspendió los exámenes y tuvo que repetir curso, por lo que se enfadó mucho.*
- *Carolina llegaba siempre tarde a clase y no participaba mucho por culpa de salir todas las noches hasta las tantas, al final, suspendió los exámenes y tuvo que repetir curso, por lo que se enfadó mucho*
- *Por culpa de salir todas las noches hasta las tantas, Carolina llegaba siempre tarde a clase y no participaba, así que, al final, suspendió los exámenes y tuvo que repetir curso, por lo que se enfadó mucho.*

- *Enrique no tenía trabajo en su ciudad y se fue a vivir a la capital, pero, como todo era muy caro y, allí, tampoco encontró trabajo, al final, tuvo que volver a su casa.*
- *Al no tener trabajo en su ciudad, Enrique se fue a vivir a la capital, pero, como allí todo era muy caro y tampoco encontró trabajo, al final, tuvo que volver a su casa.*
- *Enrique se fue a vivir a la capital puesto que/ya que/debido a que en su ciudad no tenía trabajo, pero, dado que/puesto que/debido a que/como en la capital todo era muy caro y tampoco encontró trabajo, al final, tuvo que volver a su casa.*

- *Al estropeársele el ordenador, Nacho lo intentó arreglar él mismo pero, al final, lo rompió del todo y tuvo que comprarse uno nuevo.*

- *A causa/ por culpa de las prisas, Jorge se compró un abrigo sin probárselo y, cuando llegó a casa, descubrió que la cremallera estaba rota, pero en la tienda no quisieron devolverle el dinero.*
- *Jorge fue a comprar un abrigo pero tenía tanta prisa que no se lo probó y al llegar a casa descubrió que tenía la cremallera rota, sin embargo,/pero en la tienda no quisieron devolverle el dinero.*
- *Con la prisa que tenía, Jorge se compró un abrigo sin probárselo y en casa descubrió que la cremallera estaba rota, sin embargo/pero, en la tienda no quisieron devolverle el dinero.*

- *Los pasajeros del aeropuerto, dado que llevaban más de nueve horas esperando y nadie les daba ninguna información, se quejaron y organizaron una revolución, a pesar de ello/sin embargo,/pero no les devolvieron el dinero y solo consiguieron algo de comer.*

- *Como se pusieron tan de moda las casas en el campo, Vanesa se compró una bastante cara con el fin de venderla y ganar mucho dinero, pero, debido al/ a causa de la pérdida de valor del mercado inmobiliario, perdió tanto dinero en la venta que se arruinó completamente.*

**B.** Invite a sus estudiantes a que piensen qué creen que debería haber hecho cada una de las personas de las situaciones anteriores. Pídales que escriban su punto de vista y recuérdeles que pueden apoyarse en las estructuras de la sección *Reprochar*, en el apartado CONSULTAR. Forme grupos de tres y anímelos a que pongan en común los reproches que han escrito.

### MÁS EJERCICIOS
Página 151, ejercicio 6.

## 8. BIOGRAFÍAS ESCOLARES
*Elegir, de un conjunto de frases, las que mejor definen su biografía escolar y comentarlas.*

### PROCEDIMIENTOS
**A.** Pida a sus estudiantes que, en una sola frase, intenten describir lo más destacable de su etapa escolar. Póngales algún ejemplo: **Lo que más destacaría sería/n... lo mal que lo pasaba en los exámenes, los recreos y la cantidad de juegos que sabíamos**, etc.

A continuación, remítalos a la lista de frases que aparecen en el libro y pídales que marquen aquellas con las que más se identifican. Forme grupos de tres y anímelos a que cada uno comente su lista, la amplíe con ejemplos y anécdotas y decida con qué compañero tiene más cosas en común.

## 9. GRANDES DECISIONES
*Escuchar los testimonios de tres personas que hablan sobre sus decisiones pasadas. Hablar sobre decisiones pasadas importantes en sus vidas.*

### PROCEDIMIENTOS
**A.** Pregunte a sus estudiantes con qué temas creen que están relacionadas las grandes decisiones que tenemos que tomar a lo largo de nuestra vida.

Infórmelos de que van a escuchar a tres personas que explican un problema que tuvieron y la decisión que tomaron. Pídales que completen la tabla con la información que escuchen.

### Solución
*1.* Problema: *Seguir bailando o tener tiempo libre.*
  Solución: *Dejó el ballet.*
  Buena o mala decisión. ¿Por qué?: *Mala. Ahora podría ser una bailarina famosa.*

*2.* Problema: *Seguir en Venezuela sin trabajo o emigrar a otro país.*
  Solución: *Dejó el ballet.*
  Buena o mala decisión. ¿Por qué?: *Buena. Ha conocido a mucha gente; su situación sería peor si se hubiera quedado en Venezuela.*

*3.* Problema: *Ir a la universidad o seguir los deseos de su familia.*
  Solución: *Siguió estudiando en la universidad.*
  Buena o mala decisión. ¿Por qué?: *Buena. Su vida ahora sería muy diferente.*

**B.** Pídales que piensen en las decisiones importantes que tuvieron que tomar en su vida, si están contentos o se arrepienten de ellas, si las tomaron solos o alguien les ayudó y quién les ha ayudado más a tomar decisiones. Propóngales que las comenten en parejas pero antes, deles tiempo para que preparen su explicación individualmente.

### Y DESPUÉS
Pregunte a sus estudiantes si saben qué significa **decidofobia**. Forme grupos de tres y repártales fotocopias del texto de la página siguiente. Anímeles a que lo lean y comenten con los compañeros si les parecen bien los métodos que se proponen y con cuáles se identifican más.

## 10. ¿HABRÍA HECHO LO MISMO?
*Leer dos noticias de un periódico, valorar y juzgar las decisiones tomadas en cada una de ellas.*

 **OBSERVACIONES PREVIAS**
En esta actividad los estudiantes elaborarán un "producto" que pueden incluir en su Portfolio.

### PROCEDIMIENTOS
**A.** Escriba en la pizarra los titulares de las dos noticias que aparecen en el libro. Anime a sus estudiantes a que comenten las razones por las que una persona puede llegar a robar medicinas y una alcaldesa puede llegar a ser destituida y pasar a disposición judicial. Interésese por conocer si en sus países recuerdan una noticia similar y anímelos a que la comenten. Remítalos a los textos del libro, con la noticia completa. Pídales que los lean y contesten a las preguntas que aparecen al pie de cada noticia.

**B.** Forme grupos de cuatro o cinco. Coménteles que van a discutir sobre una de las dos noticias que han leído. Anímelos a que elijan la que más les interese y pida que formen dos bloques dentro de cada grupo: los que están a favor y los que están en contra de la actitud del protagonista. Pídales que, individualmente, preparen por escrito sus argumentos y luego los compartan con los compañeros de su bloque. Invítelos a que realicen un debate entre los dos bloques.

**C.** Después de terminar el debate, anímelos a que piensen si ha cambiado en algo su postura y qué argumentos del otro bloque les han parecido más convincentes.

**D.** Lleve a cabo una puesta en común. Interésese por saber a qué conclusiones sobre el cumplimiento de las leyes han llegado y pídales que las justifiquen.

# COMO NO LO SABÍA...

## DECIDOFOBIA, EL MIEDO A TOMAR DECISIONES

Un nuevo problema afecta a las sociedades desarrolladas: es el miedo irracional a la toma de decisiones importantes. Se conoce científicamente como *decidofobia*, término acuñado por Walter Haufmann en 1973. Quien que la padece experimenta un bloqueo en su mente provocado por el miedo a equivocarse, y eso le impide posicionarse ante problemas de diferente índole. Sin embargo, no podemos olvidar que la importancia de la toma de decisiones es una de las responsabilidades del ser humano libre e independiente.

Todo el mundo tiene, en algún momento de su vida, dificultades para decidir; es por eso que los métodos que cada persona utiliza para tomar decisiones difíciles son tan variados como pintorescos. He aquí algunos de los más empleados.

### Compartidos

La opinión del más allá: tarot, astros, lectura de manos, *feng shui*, interpretación de los sueños... Todo vale para indicarnos el camino a seguir, la brújula que guiará nuestro destino.

Convocatoria de amigos: según algunos estudios, es la opción más elegida entre la etapa adolescente y entre los treinta y los cuarenta años. Se organiza una comida o una cena, se hace una exposición del problema y las posibles opciones, se realiza una votación y... se elige la más votada o, a veces, para sorpresa de todos, la que no ha elegido nadie.

### Solitarios

La moneda: es típico de los impetuosos, aquellos que disponen de poco tiempo. Es práctico, fácil de realizar y requiere poco espacio. Pero eso sí, solo es posible en el caso de que haya dos opciones a elegir. Se trata de asignarle a una la cara y a otra la cruz, tirar la moneda y... ¡A confiar en la suerte!

Para los reflexivos, se recomienda escribir en un papel las ventajas y desventajas de la decisión, analizarlas y decidir aquella que tiene más puntos positivos.

Los reflexivos con menos tiempo deben pensar en la opción de mayor riesgo, valorar sus consecuencias y, si están dispuestos a asumirlas, entonces la respuesta es sí.

## MÁS CULTURA

### EL PRIMER DÍA

*Comentar recuerdos del primer día de colegio, instituto o universidad. Leer algunos fragmentos del cuento* La lengua de las mariposas *y comparar sus experiencias con las que aparecen en el cuento. Formular hipótesis sobre el posible final del cuento.*

### OBSERVACIONES PREVIAS

Para realizar el apartado **D** de esta actividad sería conveniente que usted proporcionara el final del cuento a sus estudiantes. Puede encontrarlo en el siguiente enlace:

**http://www.xtec.es/~jortiz15/rivas.htm**

(Recuerde que es posible que las páginas web sufran cambios y que, por lo tanto, el cuento deje de encontrarse ahí en algún momento. En ese caso, investigue en la red o bien consiga el libro de Manuel Rivas (*¿Qué me quieres, amor?*) para poder trabajar con el final del relato.

### PROCEDIMIENTOS

**A.** Pida a sus alumnos que piensen en su primer día de escuela, instituto o universidad. Pregunte qué recuerdos tienen, cómo se sentían y qué expectativas tenían. Deles dos minutos para que lo piensen. Forme grupos de tres y anímelos a que compartan sus recuerdos y experiencias.

**B.** Coménteles que van a leer algunos fragmentos del cuento "La lengua de las mariposas" e infórmeles de que es uno de los dieciséis que forman el libro *¿Qué me quieres, amor?*, del escritor Manuel Rivas. Este cuento, llevado al cine por el director José Luis Cuerda, está ambientado en un pueblo gallego de principios de 1936 (año en que estalló la Guerra Civil española) y su protagonista es un niño que, en el inicio del relato, habla sobre su primer día de colegio. Anímelos a comparar las experiencias del niño con las suyas.

Luego, pregúnteles si creen que en la época en la que sucede esta historia los niños de su país sentían algo parecido o si las cosas eran diferentes; sugiérales que se apoyen en recuerdos que les hayan contado sus padres, abuelos o gente que haya vivido esa época.

**C.** Anímelos a que lean el siguiente fragmento, donde el protagonista habla de más experiencias en la escuela y de su relación con el maestro. Pídales que piensen si sus experiencias fueron similares, si tuvieron algún profesor que les recuerde a Don Gregorio, a qué profesor recuerdan con más afecto y de cuál tienen peor recuerdo y por qué. Forme grupos de tres y anímelos a compartir sus recuerdos.

**D.** Remita a sus estudiantes al último párrafo del último fragmento, en el que se habla de una tormenta que va a venir, y pregúnteles qué creen que va a pasar. Pídales que, en parejas, escriban su hipótesis sobre el final del cuento. Dígales que el objetivo es que escriban lo que ellos creen que va a pasar y no que escriban un final siguiendo el estilo narrativo del autor.

Pida a un representante de cada pareja que explique su hipótesis al resto de compañeros y coménteles a los demás que tienen que estar atentos ya que, después, recibirán una hoja con el final del cuento de Manuel Rivas y tendrán que decidir qué pareja formuló la hipótesis que se acerca más al original.

Después reparta el texto que corresponde al final del cuento a sus alumnos. Pídales que, con la misma pareja, elijan, de las hipótesis que han escuchado, incluyendo la suya, la que les parece más acertada. Realice una puesta en común para determinar la hipótesis ganadora. Si lo considera necesario, pueden volver a leer las hipótesis que habían formulado.

# TEST 2

Puede utilizar el **Test 2** (página siguiente) como repaso global de todo lo explicado a lo largo del curso o como prueba de nivel antes de empezar el siguiente nivel.

## *Soluciones*

| | | | | |
|---|---|---|---|---|
| *1. a* | *5. c* | *9. b* | *13. b* | *17. d* |
| *2. c* | *6. b* | *10. a* | *14. c* | *18. b* |
| *3. b* | *7. d* | *11. d* | *15. a* | *19. c* |
| *4. d* | *8. c* | *12. c* | *16. d* | *20. d* |

**1.** ● Te envío el documento esta tarde para _____ mañana.

a. que lo revises　　　　　b. que lo revisas
c. que lo vas a revisar　　d. que lo revisarás

**2.** ● El jueves pasado quedamos con Mario para cenar y dijo que traería los postres. Pues al final no apareció y al día siguiente llamó para decir que le había surgido un plan más interesante. Es un _____.

a. incompetente　　　　b. impaciente
c. impresentable　　　　d. desordenado

**3.** ● ¿Cómo que nos vayamos a casa? Yo no me muevo de aquí hasta que me _____ una explicación.

a. dan　　b. den　　c. dieran　　d. han dado

**4.** ● Ana no pudo ayudarnos a terminar el proyecto.
○ No es que no _____, es que no quiso: había quedado con su novio.

a. podía　　b. podría　　c. pueda　　d. pudiera

**5.** ● La catedral, _____ se inició en 1255, es uno de los edificios más deslumbrantes de León.

a. que su construcción　　b. la cual construcción
c. cuya construcción　　　d. que su construcción

**6.** ● Yo _____ que Londres me iba a gustar, pero es que _____.

a. pienso/me alucinó
b. pensaba/me alucinó
c. pienso/me alucina
d. había pensado/me había alucinado

**7.** ● ¿Te acuerdas de todo _____ dijo el profesor en la clase?

a. que　　b. el que　　c. lo cual　　d. lo que

**8.** ● Zacatecas, _____ en 1547, está ubicada a 2.496 m de altitud.

a. es fundada　　b. está fundada
c. fundada　　　　d. fundadas

**9.** ● Un estudio refleja el cambio de mentalidad con respecto al reciclaje. _____ aporta cifras sobre la cantidad de residuos generados en el último año en todo el país.

a. Citado estudio　　b. Dicho estudio
c. Citado el estudio　d. El dicho estudio

**10.** ● El problema de la contaminación no se solucionará mientras no _____ muchos de nuestros hábitos.

a. cambiemos　b. cambiar　c. cambiarán　d. cambiarían

**11.** ● ¿Ayer viste a Carlos?
○ Pues no. Creo que se fue antes de que yo _____.

a. llegaba　　b. llegaría　　c. llegar　　d. llegara

**12.** ● Cada año en cuanto _____ a hacer frío, mis abuelos se marchan a un apartamento que tienen en Canarias.

a. empezar　b. empezaría　c. empieza　d. empezara

**13.** ● ¿Qué tal la propuesta de trabajo que te han hecho, pagan bien?
○ Pues no lo sé, todavía no lo hemos hablado, pero necesito un trabajo urgentemente así que aunque el sueldo _____ bajo voy a aceptarlo.

a. será　　b. sea　　b. es　　d. sería

**14.** ● El gobierno aprobará, en junio, la nueva ley para la conciliación laboral. _____ los empresarios no tendrán más remedio que implantarla en sus empresas.

a. Aunque　　　　　b. Porque
c. Así pues　　　　　d. A pesar de que

**15.** ● ¿Qué tal la nueva directora?
○ Muy bien, es muy fácil hablar con ella, le puedes comentar todo, parece siempre dispuesta a recibirte y escucharte. En fin, que es muy _____.

a. accesible　　　　b. flexible
c. tolerante　　　　d. emprendedora

**16.** ● A pesar de _____ mucho dinero, mis abuelos vivieron siempre de una forma muy humilde.

a. tenían　　b. tuvieron　　c. han tenido　　d. tener

**17.** ● Cuando la ascendieron a directora perdió a todos sus amigos _____ solo pensaba en el trabajo.

a. gracias a que　　　b. al
c. por　　　　　　　　d. debido a que

**18.** ● Ahora _____ millonario si _____ invertir bien todo el dinero que ganó.

a. habría sido / habría sabido
b. sería / hubiera sabido
c. hubiera sido / sabría
d. fuese / supiera

**19.** ● ¿Tantas ganas tienes de casarte?
○ ¡Uf!, sí. Yo ya me _____ el año pasado si _____ la carrera.

a. casaba/ habría terminado
b. había casado/ terminara
c. habría casado/ hubiera terminado
d. casaría/ terminaría

**20.** ● Lo siento pero al final no puedo sustituirte mañana.
○ Pues _____ ahora es muy tarde para buscar a otra persona.

a. podrías haber díchomelo　b. podrías me lo haber dicho
c. podrías haber me lo dicho　d. podrías habérmelo dicho

# TRANSCRIPCIONES

## UNIDAD 1 / MANERAS DE VIVIR

### 2. DIME CON QUIÉN ANDAS Y TE DIRÉ QUIÉN ERES

● ¿Recuerdan el famoso dicho "dime con quién andas y te diré quién eres"? Pues hoy en nuestro programa tenemos a tres invitados que nos explicarán cómo y con quién comparten sus aficiones, sus gustos y sus valores. Nos darán una visión de su particular forma de vivir. Buenas tardes. Nuestra primera invitada es Lucía, una motera.

○ Motera no, *escuterista*. A mí me gustan las motos escúter.

● ¿Y cómo definiría a un *escuterista*?

○ Si tuviera que escoger una palabra sería **libertad**. La afición a las motos es mucho más que una afición, es una forma de vida. Son muchas cosas. A mí me gustan las motos, reunirme con escuteristas, la música mod, viajar por carreteras secundarias con la Vespa. He hecho el camino de Santiago tres veces...

● Mm. ¿Tres veces el camino de Santiago?

○ Sí.

● Interesante. ¿Y cuántas motos tienes?

○ Pues ya tengo cinco en mi garaje…

● ¿Cinco?

○ Sí, sí, cinco. Pero conozco gente que tiene más de diez. Es que lo más interesante de todo esto es rescatar viejas motos y poder arreglarlas con tus amigos y, bueno, con otros escuteristas.

● ¿Y existe algún club de escuteristas?

○ Uy… Hay muchos en todo el mundo. Yo pertenezco a uno y nos reunimos los fines de semana, se hacen entregas de premios… ¡Es genial!

● Perfecto, muy bien. Gracias Lucía y quédate con nosotros.

○ ¡Vale!

● Vamos a conocer ahora a nuestro segundo invitado, Andrés Jiménez. Andrés es un *ciberadicto*.

■ Pues sí, soy un fanático de las computadoras. Me paso horas delante de la computadora navegando.

● ¿Y no te sientes solo?

■ No, no me siento solo porque hay toda una comunidad de gente como yo y estamos en contacto a través de *chats*, foros, *emails*… La verdad es que no necesitamos vernos para conocernos. Nos encantan los videojuegos: nos los bajamos de la red, los intercambiamos...

● Mm. Vuestra comunidad esta formada por gente muy joven en general, ¿verdad?

■ Sí, pero no es un fenómeno para adolescentes únicamente. De hecho, algunos de los más altos directivos de las empresas tecnológicas también lo son. Y, yo, por ejemplo, ahora he contagiado a mi abuelo que desde que se ha jubilado pasa mucho tiempo navegando en la red. Y lo he convertido en un *geek*.

● ¿En un *geek*?

■ Sí, algunos nos llaman *geeks*.

● Mm. ¿Dónde os encontráis normalmente?

■ Mira, nuestros lugares de encuentro, además de la red, son empresas de Internet y de tecnología. Además, los clubes de juegos de rol, las tiendas de informática, los salones recreativos, los *cibercafés* y los locales de juego en la red… ¡Ah! Y también las convenciones de *Star Trek* o *Star Wars*...

● Mm… Muy interesante. Gracias Andrés.

■ De nada.

● También tenemos con nosotros a Juan Antonio Bermúdez, presidente de la Asociación de Nudistas. Señor Bermúdez, ¿qué es el nudismo?

❑ Para nosotros, el nudismo es una forma de vida; es una concepción filosófica de la desnudez que considera que el cuerpo humano es noble en su totalidad. Y el desnudo integral, practicado en lugares y circunstancias adecuadas, nunca es obsceno, ni vergonzoso, ni excitante, ni ridículo, sino siempre es natural, sano; es bonito, es auténtico.

● Muy bien, pero ¿cómo se puede compaginar esta filosofía con la vida diaria?

❑ Es que a nosotros, los nudistas nos gusta hacerlo todo desnudos porque nos da una gran sensación de libertad. Estamos cómodos con ello. Nosotros nos vamos a las playas nudistas o nos vamos de vacaciones a los camping o a los centros nudistas… Y claro nos gusta ir desnudos por casa: es que lo encontramos saludable, cómodo, es agradable.

● ¿Y cuál es el objetivo de la asociación?

❑ Ah, nuestro objetivo es que no haya clubs o playas nudistas. Es que nosotros creemos que las playas nudistas son una especie de gueto: unos rincones, no siempre bonitos, donde la administración nos quiere colocar y arrinconarnos, para tenernos como controlados, para que no molestemos. Si la sociedad estuviera preparada cada uno se tendría que poder desnudar allá donde quisiera. Lo que es evidente es que no nos desnudamos para mostrarnos a los otros. Lo hacemos porque nos gusta, nos encontramos bien. Y, por cierto, cada día somos más.

● Tres formas de vida bien diferentes. ¿Quieren saber más sobre el tema? Pues abrimos las líneas y esperamos sus llamadas.

### 8. TENDENCIAS

1.
● ¿Viajar solo o en grupo?

A.
○ A mí viajar en grupo no me gusta nada; yo prefiero viajar solo y así me organizo yo las entradas, las salidas, con quién hablo, con quién no; adónde voy: si voy a un teatro, voy a una iglesia. Es que prefiero ir a mi aire y viajar cuando a mí me apetezca. Y entrar y salir según mi criterio. Y además es la mejor manera de conocer gente del lugar.

B.
■ A mí viajar sola me aburre un montón. Yo la verdad es que donde esté un viaje organizado, que te lleven a ver todo lo que se tiene que ver, que puedas hablar con los compañeros del grupo y comentar lo que te gusta o lo que no. Porque imagínate que me encuentre yo sola en un país donde no

hablo el idioma… ¿Y qué? ¿Con quién hablo? ¿Dónde voy a comer? No, no, a mí, todo organizadito y a disfrutar.

2.

● ¿Trabajar solo en casa o en equipo en la oficina?

A.

○ Uy, yo trabajar en casa, es que no podría, no podría… Yo si fuera traductora o algo así, es que no sé cómo me organizaría. Yo creo que estaría todo el día delante de la tele o despitada, pues haciendo las cosas de la casa o hablando por teléfono… Bueno, cualquier cosa. La verdad es que yo prefiero tener un horario y tener compañeros de trabajo, relacionarme, ver gente, ir a la oficina… No sé, lo de trabajar en casa, no lo acabo de ver.

B.

■ A mí me gusta trabajar solo. Al principio me costó, pero ahora, la verdad, no lo cambiaría por nada. Mira, es que yo trabajo para una editorial y me organizo el trabajo en casa de manera que las horas libres que yo quiero las tengo y luego, si tengo trabajar mucho durante dos días, pues me meto un apretón y ahí estamos.

3.

● ¿Clases presenciales en grupo o individuales por Internet?

A.

○ Uf, yo hace un montón de años que estudio inglés en una academia y la verdad es que no me lo imagino de otra manera porque en la academia, pues con los años nos hemos ido haciendo un grupito de gente muy majo y nos lo pasamos muy bien; el profesor nos hace ya las clases a medida con lo que sabemos. Y yo es que no me imagino, ahí, sola en casa, delante del ordenador, *chateando* y con gente que no conozco, intentando aprender inglés… Es que si tuviera que hacerlo así es que no me lo imagino.

B.

■ A ver… Yo he probado todos los sistemas: el presencial en grupos y los individuales por Internet, y la verdad es que a mí me gustan más los individuales. El servicio es personalizado, el tutor se puede centrar en tus necesidades propias. Además, es que por Internet... Mira, yo me conecto cuando me da la gana, cuando estoy motivado y eso me ayuda. Porque si no, si tengo que estar yendo a clase, en un horario… ¿Sabes? Es que no, no, no… la verdad es que no. No sé, a lo mejor si tuviera que hacer una carrera muy complicada o… Pero mira, también conozco a gente que ha hecho un máster a distancia y estaban súper contentos.

# UNIDAD 2 / ASÍ PASÓ

## 2. UNA MAREA NEGRA

1.

● Noticias de última hora. Seguimos cubriendo las noticias que nos llegan desde Galicia. Para ello, vamos a conectar con nuestro corresponsal en la zona, Jorge Pardo. Jorge, hoy veinte de noviembre es un día de luto para Galicia. Ayer se confirmó la noticia de la rotura del *Prestige* frente a la costa gallega, ¿cómo se vive la noticia ahí en Finisterre?
○ Pues con desolación, con mucha tristeza y mucha rabia. Los gallegos y toda España llevaban seis días en vilo observando el recorrido del barco a la deriva y ayer realmente ocurrió lo peor. Y la rabia aumenta a medida que se conocen más datos del petrolero: por ejemplo, que era un barco muy viejo, que había sido construido en 1976, y que ya había tenido algún accidente anterior, como uno en Italia en 1991. Según los técnicos, era un barco que no reunía las condiciones para viajar.
● Jorge, como comentas, han sido seis días de incertidumbre hasta este desenlace. ¿Puedes resumirnos los hechos más destacados de estas jornadas de tensión?
○ Sí. Todo empezó el día trece de noviembre cuando se recibió una llamada de socorro del barco. A media tarde, los helicópteros de Pesca de Galicia rescataron a veinticuatro de los veintisiete tripulantes que viajaban allí. El capitán y dos técnicos quisieron quedarse a bordo. Al día siguiente, los remolcadores empezaron a llevar el barco mar adentro, lejos de la costa, y en ese punto las condiciones del barco iban empeorando porque ya tenía una rotura en los tanques. El día quince desalojaron a los tripulantes que quedaban. El capitán, en concreto, fue arrestado porque no había colaborado en las labores de rescate. Después, otros barcos lo fueron remolcando hacia el sur, hacia Portugal, y ya iba perdiendo fuel. Finalmente, el día diecinueve, ayer, el barco se partió en dos por los tanques centrales.
● ¿Cómo está la situación en este momento?
○ Pues todas las miradas se dirigen hacia la línea de la costa. La gran preocupación ahora es saber qué camino tomará el vertido y las peores previsiones apuntan que vendrá directo a la costa.

2.

● Noticias de última hora. Estamos informando sobre el desastre del *Prestige* y tenemos al teléfono a Nuria, una voluntaria que está en la zona para ayudar en las labores de limpieza de la costa. Hola, buenos días, Nuria. ¿De dónde eres?
○ Soy de Lugo.
● ¿Cómo estáis trabajando? ¿Hay algún tipo de organización?
○ Bueno… Pues hacemos lo que podemos. Nos han dado unos trajes y también mascarillas, ¡por suerte!, porque el olor es apestoso, el olor del chapapote. Y algunos también trabajando con guantes, pero no hay para todo el mundo. Y el problema es en las rocas, que hay que agarrar el chapapote con tus propias manos. Y en la playa, aún, con palas, pues vamos limpiando también… lo que podemos.

● ¿Y dónde estáis alojados?

○ Estamos durmiendo en el pabellón municipal, es el de los deportes. Y nos trajimos sacos de dormir y allí estamos. Por lo menos se está calentito, porque hace un frío estos días... Y la gente está colaborando mucho. La gente del pueblo se ha volcado con nosotros y se encarga de preparar la comida para los voluntarios y han traído todo de sus casas: platos, cubiertos... Y la verdad es que cuando llegas después de un día así de trabajo, y te encuentras el potaje de lentejas calentito, se agradece.

● ¿Cuánto tiempo os quedaréis por la zona?

○ Pues es que nos tenemos que ir ya dentro de dos días y... trabajamos ya y no sé cómo va a quedar esto.

● ¿Hay algo que creas que se puede hacer para mejorar la situación?

○ Hombre, lo que hay que hacer sobre todo es parar, parar el fuel, porque limpiamos de día, la playa queda bien por la noche, pero es descorazonador: llegamos por la mañana y nos lo encontramos todo igual. Hay que poner una barrera en el mar y pararlo de una vez y... Ya. De alguna manera hay que parar esto.

● Muchas gracias, Nuria, y mucha suerte.

## 7. ¡QUÉ EXPERIENCIA!

● ¿Cómo fue la maratón?

○ ¡Menuda maratón! Mira, se habían apuntado unas 10 000 personas, creo que el doble de lo que esperaba la organización, y claro, nos juntamos todos a la misma hora en Cibeles. Vamos, ¡un descontrol!

● ¡Ja!, me imagino...

○ Igual se pensaban que la gente iría llegando de forma escalonada, pero, bueno, si dicen que empieza a las 12 h, es normal que la gente llegue a las 12 h, no sé... ¿Qué esperaban?

● Normal.

○ En fin... Luego, otros años nos iban dando botellas de agua en todo el recorrido y lo agradecías mucho, la verdad. Y este año, nada. Y bueno, lo peor fue al final: ya estábamos llegando y aquello no se movía; se creó un tapón impresionante...

● ¿Sí?

○ Porque la gente de atrás seguía llegando. Sí, sí... Algunas personas con el calor y la presión, y no sé si la deshidratación, el caso es que empezaron a caer como moscas: bueno, desmayos... de todo. Y las ambulancias encima no podían llegar hasta allí.

● ¡Hala!

○ ¡Yo pensé que íbamos a morir todos aplastados! ¡Menudo pánico! Al final, tuvieron que avisar a la guardia urbana.

● ¡No!

○ Sí, sí... Empezó a avisar a la gente para que cogiera una calle paralela como alternativa.

● Claro...

○ Y hasta vimos un helicóptero intentando seguir el recorrido. Por suerte, fueron frenando a los que venían hacia la meta. Y bueno, total, que aquello no acabó tan mal como podía haber acabado. Pero aun así, creo que hubo varios heridos.

● ¡Menos mal que no fue tan grave!

## 10. MONTAÑEROS PERDIDOS

1.

● Buenos días. Estamos cubriendo la noticia de los excursionistas perdidos en los Andes. Vamos a entrevistar a Eduardo Martínez. Usted forma parte del equipo de rescate, ¿es así?

○ Sí, sí, efectivamente, yo estoy en el equipo.

● La búsqueda empezó ayer por la tarde, ¿no?

○ Sí, sí, pero durante la noche no encontramos nada. Y recién estamos al mediodía, y tampoco.

● ¿Y qué se sabe del rescate?

○ Y la cosa está mal. Los servicios meteorológicos ya avisaron que había riesgo de aludes y ventiscas, pero la gente no le da bola a esas cosas, se arriesga demasiado y... Además, esta zona es siempre peligrosa, no es para novatos. El cambio de tiempo fue muy rápido y tuvimos que atender varias hipotermias. La gente es muy imprudente. Todavía no sabemos cuál es la magnitud de la tragedia.

● La gente de la zona dice que se trata de otra cosa.

○ Sí, bueno, porque últimamente se encontraron huellas enormes en la nieve, como de un animal desconocido que no podemos identificar o que al menos no es de esta zona. No quisimos decirlo antes para no alarmar a la gente, pero creo que ya es hora de que se empiece a saber. Hay quien dice que pueden ser criaturas de otro planeta, que son extraterrestres. No sé, hay gente que incluso dice haber visto naves y luces, y que incluso son la causa de estas enormes ventiscas. No sé, a lo mejor hay algo de cierto en eso.

2.

● Seguimos con la noticia de los tres desaparecidos en los Andes. Tenemos con nosotros a la persona que consiguió volver y avisar a los equipos de rescate, ella es Mercedes Nanotti, compañera de los montañistas perdidos. Hola, ¿cómo se encuentra?

○ Bien, yo bien, un poco cansada y asustada. Lo que me preocupa es cómo estarán ellos. Yo pude volver ayer. Llegué al pueblo a las cuatro de la tarde y avisé al servicio de rescate y salieron enseguida hacia allá, pero no tuvimos noticias en toda la noche...

● ¿Cómo fue? ¿Qué pasó?

○ Que nos perdimos, y el viento era muy fuerte. Y bueno, estábamos muy cansados. La verdad es que ya no nos quedaban fuerzas para seguir. Y lo que pasó, que el estado de la nieve... muy mal, hacía que no pudiéramos dar ni un paso más. Y Luciano, uno del grupo, se torció además el tobillo, no podía caminar del dolor y, bueno, nos asustamos porque no veíamos nada ni a diez metros. Y, por suerte, llevábamos mantas y nos pudimos proteger durante la tormenta. Pero es que estábamos asustados: oímos unos ruidos que parecían de un animal pero algo raro, rarísimo... pero es que no eran perros... No sé...

● ¿A qué se parecía?

○ A nada. Era un sonido muy fuerte. Y con el eco de la montaña, ¡peor!

● ¿Y qué hicieron?

○ Bueno, yo, porque soy la más joven del grupo, agarré la brújula y dije que iba a buscar ayuda, y me fui... y tardé tres horas en llegar hasta la base y luego me trajeron hasta acá. Todo eso pasó cuando estábamos casi a punto de llegar a la cumbre...

● ¿Y tienen tus compañeros comida y equipo para aguantar muchas horas?

○ Bueno, llevábamos lo imprescindible, pero, bueno, sí: tienen barritas de chocolate y algunas mantas, no sé... como para tirar un par de días más, pero espero que los encuentren antes.

## UNIDAD 3 / ¿Y TÚ QUÉ OPINAS?

### 4. ¿NEGOCIAMOS?

● Hombre, yo le veo muchas ventajas a eso del horario flexible. Total, trabajas las mismas horas a la semana, pero te puedes organizar mejor tus horarios y...

○ Es verdad, y según tus necesidades personales: los horarios del colegio de los niños o si estás haciendo un curso de algo...

● Claro, y al final seguro que le sacas más rendimiento a todo tu tiempo.

■ Ya, eso sí. Pero a mí lo que me preocupa es la organización en el trabajo. Esto va a ser un lío si cada uno viene a la hora que quiere, pues nunca vas a saber con quién puedes contar. Y muchas cosas se tienen que decidir en equipo, ¿no?

○ Bueno, podemos organizarnos entre todos. Y además, es que tenemos que ponernos todos de acuerdo porque, si no, no va a ser posible. No van a hacer unos horario flexible y otros no. Eso sí que sería un caos.

❑ A ver, un momento, yo tengo una propuesta, a ver qué os parece. Y es que podríamos negociar entre todos una franja horaria en la que todos coincidiéramos, que nos fuera bien a todos quiero decir. Yo, así, sí que aceptaría la propuesta de horario flexible.

○ Eso podríamos hablarlo, digo yo. Otra cosa que se me ocurre es negociar unos días concretos en que todos estemos aquí para coordinación y consultas.

● Sí, podría ser, pero...

▲ Yo quería proponer algo. Miren, flexibilidad solo en el horario de entrada y de salida. Si en vez de entrar a las nueve alguien entra a las once, pues luego sale dos horas más tarde, pero por lo menos coincidiríamos parte de la mañana o parte de la tarde todos juntos.

■ Hombre, yo en ese caso estaría de acuerdo.

❑ Sí, sí, sí, yo también.

○ Pues yo no lo veo claro. Es que no va a haber control... Yo creo que va a haber personas que van a aprovechar para hacer menos horas de las que hacen. ¿Quién se va a poner a controlar el rato que ha trabajado cada uno?

■ Ya. Eso es cierto. Si hay gente que llega tarde ahora, que se va a tomar un café cuando quiere... uf, si además tiene horario flexible, ¡no veas!

○ Claro, ahí quería yo llegar. Es que encima es esa gente la que pide el horario flexible. Yo no lo veo nada claro.

■ ¡Ni yo!

### 10. UN PUEBLO TRANQUILO

Noticias. El próximo jueves 30 de marzo tendrá lugar en el ayuntamiento la asamblea para decidir el tipo de turismo que se desarrollará en la zona en los próximos años. La asociación Amigos de Roquedal defienden la adhesión del pueblo al movimiento de turismo tranquilo, Tranquitur, ya que según palabras de su presidenta, Teresa Pardo, "apostar por la calidad de vida será rentable para el pueblo a largo plazo. Nosotros podemos ofrecer un producto con un valor añadido, diferente a los de los de los otros pueblos de la costa". Sin embargo, no todos los habitantes del pueblo comparten esa opinión. El grupo que se opone a la propuesta, encabezado por Cosme García, sostiene que no están dispuestos a quedarse viviendo en el pasado, y creen que el pueblo merece progresar hacia una vida moderna como la de la gente de los pueblos vecinos. El turismo tranquilo es un atraso.

Como se puede apreciar, las posturas están enfrentadas aunque el resultado de la votación está en manos de un gran número de vecinos que se muestran todavía indecisos. El viernes les informaremos de qué propuesta es la que ha logrado convencer y vencer.

## UNIDAD 4 / SE VALORARÁ LA EXPERIENCIA

### 1. UNA EXPOSICIÓN

● A mí me parece un montón de dinero. Fíjate en lo que se han gastado en este museo. ¡Una barbaridad! Con la de cosas importantes que hay que arreglar en la ciudad, se lo podían haber gastado en mejorar el transporte público, que ya ves... O en más bibliotecas. Si quieren hacer algo cultural... No sé...

○ Pues yo creo que ha sido una muy buena decisión. Es lo que le hacía falta a esta ciudad, algo que no sé... Que de repente se hable de ella... Y la gente viene a verla... Y si viene más turismo, pues mejorará la imagen de la ciudad. Habrá más dinero y se podrán construir las bibliotecas esas que dices.

● No sé... Si es que además es feísimo, ¡tanto colorido!

○ Hombre, te choca al principio. Pero a mí me gusta ahora. Además, la fachada está inspirada en una vidriera no sé si de la catedral. Es como una versión moderna de algo antiguo.

● Ya, esa es una visión muy particular. ¿Pero es que tú crees que a la gente le gusta el arte moderno? ¡Si no se entiende!

○ Mira, no sé si les gusta o no, pero quieren conocerlo. Las visitas a los museos aumentan cada año. Y además, necesitamos el arte. Los humanos somos creativos, necesitamos crear. En serio, yo creo que acabará gustándote.

## 4. DIFERENTES FORMAS DE DECIR LO MISMO

● ¿Has visto el anuncio de SolPlan?
○ No. ¿Para qué es?
● Para plazas de animadores turísticos.
○ Mm... ¿Y cuántas?
● No lo sé. No lo pone.
○ Buf, pues si ha salido el anuncio en el periódico se presentará un montón de gente.
● No sé, sólo ha salido en el periódico de Valencia...
○ Y me imagino que piden experiencia, ¿no?
● Bueno, más que experiencia, tienes que haber hecho prácticas en alguna empresa. Bueno, en algún hotel. Ponía algo así.
○ ¿Y qué estudios piden?
● Pues de animador turístico, pero pueden presentarse los que ya han acabado el primer curso de animador.
○ ¡Bah! Bueno, pero al final lo que más cuenta es si hablas idiomas y qué tal los hablas, y eso...
● Sí, claro... El único que piden es el inglés, pero, si hablas otros, mucho mejor.
○ Sí, eso seguro.
● De hecho, en el anuncio pone que tendrán puntos para obtener la plaza los que hablen alemán y francés. Bueno, además del inglés.
○ Pues yo creo que me voy a presentar.
● Sí, yo también. Creo que voy a probar. Pero no te despistes que me parece que admitirán solicitudes solo hasta el 25.
○ Ah, sí. Si puedo, lo hago mañana.
● Ah, oye, pero ahora que me acuerdo, los que no tengan carné de conducir no van a poder presentarse.
○ Pero si yo lo tengo.
● ¿Ah, sí? ¿Desde cuándo?
○ Desde febrero. Aprobé. Oye, a la tercera, pero aprobé.
● Ah, no sabía.

# UNIDAD 5 / LA VIDA ES PURO TEATRO

## 1. UNA COMEDIA PORTEÑA

### ACTO PRIMERO

### Escena 2

(...)

CARLOS: ¡Si lo que le digo es verdad! Don Lucas es "jettatore"...
DOÑA CAMILA: Pero... ¿qué es eso de "jettatore"? Porque hasta ahora a todo lo que me has venido diciendo no le encuentro ni pies ni cabeza...
CARLOS: ¡Y, sin embargo, es muy sencillo! Los "jettatores" son hombres como los demás, en apariencia; pero que hacen daño a la gente que anda cerca de ellos... ¡Y no tiene vuelta! Si, por casualidad, con-versa usted con un "jettatore", al ratito no más le sucede una desgracia. ¿Recuerda usted cuando la sirvienta se rompió una pierna bajando la escalera del fondo? ¿Sabe usted por qué fue? ¡Acababa de servir un vaso de agua a don Lucas!
DOÑA CAMILA: ¡Vaya, tú te has propuesto divertirte conmigo! ¿Cómo vas a hacerme creer en una barbaridad semejante?
CARLOS: ¿Barbaridad? ¡Cómo se conoce que usted no sospecha ni siquiera hasta dónde llega el poder de esos hombres! Vea... ahí andaba en las cajas de fósforos el retrato de un italiano que dicen que es "jettatore"... Pues a todo el que se metía una caja en el bolsillo... ¡con seguridad lo atropellaba un tranvía o se lo llevaba un coche por delante! ¡Y eso que no era más que el retrato! ¡Figúrese usted lo que será cuando se trate del individuo en persona!
DOÑA CAMILA: ¡Estás loco, loco de atar!
CARLOS: ¡Pero si todo el mundo lo sabe! ¿O usted cree que es una novedad? Pregúnteselo a quien quiera. Y le advierto que por el estilo los tiene usted a montones... Hay otro, un maestro de música, ¡que es una cosa bárbara! ¡Ese... con sólo mirar una vez, es capaz de cortar el dulce de leche! ¡Había que ver cómo le dispara la gente! Los que lo conocen, desde lejos no más ya empiezan a cuerpearle, y si lo encuentran de golpe y no tienen otra salida, se bajan de la vereda como si pasara el presidente de la República... Vea... este mismo don Lucas (cuernos.) sin ir más lejos...
DOÑA CAMILA: ¿Por qué haces así con los dedos? ¿Qué nueva ridiculez es ésa?
CARLOS: Cuando se habla de "jettatores", tía, hay que hacer así. Es la forma de contrarrestar el mal, de impedir que la "jettatura" prenda. Eso, tocar fierro y decir "cus cus", es lo único eficaz inventado hasta el presente...
DOÑA CAMILA: ¡Basta de majaderías! ¡Ya es demasiado!

## 7. ¿CÓMO LO INTERPRETAS?

1. ¿Abres la ventana?
2. ¿Por qué no te vas?
3. ¡No me asustes!
4. ¡No puedo más!

# UNIDAD 6 / DIJISTE QUE LO HARÍAS

## 11. PUBLICIDAD ¿ENGAÑOSA?

● Te veo un poco desanimado...
○ Y mirá, yo me apunté al gimnasio este sobre todo para conocer a otras personas y no sé... poder hacer amigos. Y la verdad es que allí todo el mundo va a las clases, a las

máquinas, nadie habla con nadie, todos con sus auriculares, su musiquita y nada...

● Ya...

○ Pero es que ni los chicos de la recepción, ¿sabes? Se supone que te tienen que informar, ayudarte y eso... Son unos antipáticos.

● Ya, pero no sé qué esperabas... La gente va al gimnasio a hacer deporte, no a hacer vida social. Si vas allí, pues es solo o con tus propios amigos, pero vaya... Es que ya, yo entiendo... Lo ponía en la publicidad, pero piensa que eso es para que te animes a matricularte.

○ Sí, lo sé, pero hay gimnasios que sí que lo hacen, que tienen como un club social o algo así y arman fiestas los viernes para que la gente se conozca y tienen actividades de grupos. Y hasta organizan salidas para los socios durante el fin de semana...

● ¿Ah, sí?

○ Sí. Si hasta en la biblioteca en mi barrio hay un club de lectura para que la gente pueda discutir...

○ Ya, sí, sí...

● ...sobre libros que lee. No sé... Este gimnasio ha sido una decepción.

## 13. QUIEN CUMPLE, GANA

● ¡Quien cumple, gana! Pasamos ahora a los testigos del concurso. A través de sus testimonios podremos valorar mejor hasta qué punto Sergio y Anabel han llevado a cabo el plan para el que se comprometieron. Por favor, el testigo de Sergio: ¡Ana Patricia!

○ Sí, a ver... Como testigo de Sergio os puedo resumir lo que hemos observado entre todos. Algunas cosas bien, pero otras no tanto, ¿eh? Por ejemplo, yo he ido en el grupo de Sergio a las excursiones y, bueno, él parecía que quería relacionarse pero al final siempre acababa solo debajo de un pino y supongo que jugando a videojuegos con el móvil. Y bueno, sobre las clases de baile, es verdad que sí, que ha ido dos veces por semana, que se ha esforzado mucho. Pero no sé, quizá no tiene demasiado ritmo... Y lo de la ropa, bueno...

● Cierto, lo de la ropa. ¿Qué? ¿Cómo ha ido esto?

○ Pues mira, bastante bien, porque ya sabemos que Sergio acostumbraba a vestir de negro... Pues...

● Mm.

○ ...le hemos puesto un vestuario de colores que le ha encantado. La gente dice que está muchísimo mejor, más guapo. Es un cambio de estilo que le ha sentado fantástico. Y bueno, lo de sonreír... es lo que no se le acaba de dar demasiado bien. La verdad es que al final la gente lo ve tan serio que deja de hablarle. Pero bueno, ya hemos dado un paso. Otra cosa a valorar ha sido que ha salido más con los amigos. La verdad es que ha ido mucho más al cine y bueno... aunque, la verdad, lo del cine no sé yo si es lo mejor para relacionarse con los amigos. Pero bueno, ya es un paso.

● Desde luego.

○ Bueno, la verdad es que ha cambiado en las relaciones, porque con la gente del barrio tiene mucho más contacto: con el quiosquero, con el de la panadería... Parece que se

está abriendo un poco.

● ¡Qué fuerte! Pero, ¿qué ha sido lo peor de Sergio?

○ Bueno, bueno... Lo peor ha sido lo de romper la rutina. Es que no ha habido manera, ¿eh? De verdad, mira que le hemos llamado, le hemos propuesto planes... Pero nada. Él siempre dando excusas: que si estaba enfermo o que si tenía trabajo... Bueno, el caso es que esta parte no la ha cumplido...

● Mm. Bien, Ana Patricia, gracias. Ahora vamos a dar paso a la persona que habla en nombre de los testigos de Anabel: ¡Oswaldo Santana!

■ Bueno, nosotros también hemos observado que Anabel ha cumplido algunos compromisos. O casi todos. Lo que pasa es que la forma en que los ha cumplido, pues a veces... No sé, yo lo expongo y el jurado tiene que valorarlo.

● Desde luego.

■ Bien, en acordeón ha hecho bastantes progresos. Pero hablando con la profesora, lo que me ha dicho es que se notaba que a veces había practicado mucho y otras veces, nada. Pero bueno, ha ido a clase tres veces a la semana y creo que no ha fallado nunca.

● Bueno, eso está bien.

■ Con los peces... Bueno, han sobrevivido. Los ha cuidado y están bien. Y bueno, lo que hemos podido observar es que se ha pasado el tiempo colgada del móvil hablando con sus amigos y yo no sé cómo ha podido leer los libros, porque cada dos páginas paraba y ponía música o llamaba a un amigo.

● ¡Qué fuerte! ¡Qué fuerte! Lo de los móviles es muy fuerte...

■ Parece que los ha acabado, pero no sé si los ha leído muy superficialmente. Con lo de comer, vale. Se ha preparado platos sanos y ha seguido el curso de comida sana. Pero, luego, comía de pie y haciendo cosas mientras tanto. De relajarse, nada, ¿eh?

● Ni nosotros tampoco estamos relajados. ¡Estamos muy nerviosos!

■ Lo del horario fijo parece que es lo que más le ha costado. De lunes a viernes, sí, más o menos ha seguido el horario. Después, los fines de semana era un descontrol.

● ¡Gracias!

## UNIDAD 7 / LUGARES CON ENCANTO

### 7. YO FUI A...

1.

● De las ciudades que has visitado, ¿cuál ha sido la que más te ha gustado?

○ Bueno, yo no he visitado muchas, pero me impactó mucho Nueva York.

● Mm.

○ La última. Sí.

● ¿Por qué?

○ Bueno, porque era incluso familiar. No sé, era una ciudad... Como tenía tanta información, porque había visto muchas películas que pasaban en Nueva York...

● Mm, claro.

○ Tenía mucha información y me parecía que la conocía, que ya había estado allí, ¿no?. Era...

● De las películas y eso...

○ Sí, sí. Y luego al mismo tiempo era muy, muy diferente a todo lo que... todas las ciudades que conocía de aquí, de mi país, ¿no? O sea, por un lado era familiar porque sale mucho en la tele, en las películas; pero, por otro, muy, muy diferente. Allí todo era edificios enormes, avenidas grandes, como si todo fuera *king size*, ¿no? Tamaño grande en Nueva York. Y eso me sorprendió.

● ¿Y así lo que más te gustó fue quizá esa zona de la ciudad o...?

○ Sí, la zona del centro, que como somos turistas pues siempre vamos al centro. Pero quizá lo que más me gustó fue el ritmo. Era una ciudad en la que es imposible aburrirse. No sé si viviría toda la vida... podría vivir allí toda la vida...

● Ya...

○ ...pero podría estar un año bien, bien. Y el ritmo es, no sé, rápido, ágil. Recuerdo que vi como dos rodajes de películas en la calle.

● Ya, ya.

○ Vi a un actor famoso...

● Frenético, frenético.

○ Es que, vamos, te puede pasar de todo en Nueva York.

2.

● De todas las ciudades que has visitado, ¿de cuál guardas un recuerdo especial?

○ Pues... Guardo un muy especial recuerdo de mi último viaje al exterior que fue a París. Era una ciudad que estaba muy pendiente de conocer. Me habían dicho que era la ciudad del amor y lo corroboré.

● ¡Anda!

○ Siempre había tenido el deseo de ir allí, de pasear por esas calles, navegar por su río...

● Claro.

○ ...conocer todos aquellos monumentos especiales... Pero lo quería hacer estando enamorado y se me dio.

● Mm.

○ Me fui de luna de miel y me habían dicho tantas cosas maravillosas de la ciudad, las cuales pude corroborar. La única cosa negativa que me habían dicho es que la gente era un poco antipática y para mí resultó todo lo contrario.

● ¿Es verdad? Ah, no.

○ Fue una experiencia total en la que... tengo las mejores fotografías, los mejores recuerdos... ¡Un viaje inolvidable!

● ¡Qué bien!, ¿no?

3.

● De todas las ciudades que has visitado, ¿cuál ha sido la que te ha gustado más?

○ Bueno, muchas ciudades me gustaron, pero creo que la última que conocí, que es Hanoi.

● Mm. ¿Y por qué?

○ Esa me encantó, me encantó. Porque me esparaba otra cosa diferente, no sé... Era la primera vez que iba a Asia. No sé, la gente... Una mezcla de ciudad moderna con mucha cosa tradicional.

● Mm.

○ Mucho templo. No sé...

● Bonita, ¿no?

○ Preciosa. En el centro de la ciudad hay un lago, la gente sale a correr por las mañanas y... Hay millones de motocicletas y... Lindo, muy lindo.

## 9. CIUDAD DE VACACIONES

Madrid quedó vacía
sólo estamos los otros
y por eso
se siente la presencia de las plazas
los jardines y las fuentes
los parques y las glorietas

como siempre en verano
Madrid se ha convertido en una calma unánime
pero agradece nuestra permanencia
a contrapelo de los más

es un agosto de eclosión privada
sin mercaderes ni paraguas
sin comitivas ni mítines

en ningún otro mes del larguísimo año
existe enlace tan sutil
entre la poderosa
metrópoli
y nosotros pecadores
afortunadamente
los árboles han vuelto a ser
protagonistas del aire gratuito
como antes
cuando los ecologistas
no eran todavía imprescindibles

también los pájaros disfrutan
ala batiente de una urbe
que inesperadamente se transforma
en vivible y volable

los madrileños han huido
a la montaña y a Marbella
a Ciudadela y Benidorm
a Formentor y Tenerife

y nos entregan sin malicia
a los otros que ahora
por fin somos nosotros
un Madrid sorprendente
casi vacante despejado
limpio de hollín y disponible

## UNIDAD 8 / ANTES DE QUE SEA TARDE

### 12. UNA CAMPAÑA

A.
PÚBLICO: ¡Este partido lo vamos a ganar!

Muy buenas tardes a todos. Hoy nos jugamos una final a vida o muerte. ¡Empieza el partido!

B.
PÚBLICO: ¡Este partido lo vamos a ganar!

Ganar el partido depende de la puntería de todos. Recuerda, deposita envases de plástico, latas y envases tipo *brick* en el contenedor amarillo; los envases de cartón y el papel, en el azul; y las botellas de vidrio, frascos y tarros, en el verde. Separa para reciclar.

## UNIDAD 9 / VIVIR PARA TRABAJAR

### 4. APRENDER A ESCRIBIR

● Hola, perdona. Estoy haciendo un trabajo sobre la composición de textos para la asignatura de lengua. ¿Podría hacerte unas preguntas?
○ Sí, claro.
● Bueno, pues parece que, en general, la gente escribe cada vez menos. ¿Tú escribes mucho o poco?
○ Pues la verdad es que casi que escribo más ahora que antes, porque con lo del correo electrónico, pues, claro, ahora tenemos más correspondencia, ¿no?
● Mm.
○ Y también, aparte de escribir varios correos cada día, participo en foros y, bueno, ya sabes, y como estudiante en cada asignatura tenemos que entregar trabajos escritos: resúmenes de algunos artículos y también presentaciones de proyectos.
● Mm. ¿Y te resulta fácil o difícil escribir?
○ Pues, bueno, depende del tipo de texto: los correos, no, claro; escribir resúmenes, tampoco mucho; y los textos que tienen una estructura muy marcada, como un currículum, por ejemplo, pues tampoco me resultan difíciles, porque hay muchas fórmulas y se trata de copiarlas y conectarlas con tu información.
● Claro.
○ Por ejemplo, un texto informativo pues me resulta muy fácil. Lo que de verdad me resulta difícil es pues quejarme o protestar a través de un texto. Un día tuve que escribir una carta a la compañía telefónica y no supe encontrar el tono. La verdad es que ese tipo de texto me mata.

● ¿Ah, sí? Oye, y ¿cómo escribes: prefieres hacer una primera versión y luego revisarla, o lo haces de otro modo?
○ No, no. Yo soy muy ordenada en todo, así que, bueno, para escribir sigo una serie de pasos: hago un esquema, pienso las ideas generales que quiero explicar y luego pienso posibles subtemas o ideas asociadas. Luego, empiezo a escribir y voy visualizando cómo puede quedar.
● Mm.
○ Después hago algunas modificaciones sobre la estructura y reviso o corrijo si hay errores o repeticiones, o voy cambiando pequeños detalles...

### 6. ENTREVISTA DE TRABAJO

● Uf, la verdad es que después de entrevistar a tanta gente la cosa no es nada fácil.
○ Sí, hemos hablado con gente muy válida, la verdad. Para mí, los dos últimos son los mejores. Ella... ¿Cómo se llamaba, ella? Marisa.
● Sí, Marisa.
○ Me ha parecido muy despierta y parece una persona con mucha iniciativa.
● Sí, sí. A mí, lo que me ha parecido más interesante es que su anterior puesto de trabajo era en el Departamento de Marketing.
○ Sí, correcto.
● Y la verdad es que se le nota que tiene muchísima experiencia.
○ Sí, y además tenía que ser muy buena, porque en muy poco tiempo pasó a dirigir el departamento.
● Sí.
○ ¡En menos de dos años!
● Sí, sí, es verdad. Y la verdad es que no me extraña. Fíjate en estas referencias. A ver... Sus antiguos jefes destacan que gracias a su gestión, la empresa empezó a aumentar las ventas de tal manera que llegó a ser la primera en el sector. O sea, que parece una persona muy válida.
○ Sí, desde luego. Se le notaba en la entrevista que pone ganas en el trabajo y que se esfuerza. ¿Verdad?
● Sí, sí...
○ Tiene un currículum brillante.
● Sí, sí. Es excepcional. No sé... El problema es que tiene poca experiencia en el sector editorial.
○ Sí, pero ha dicho que le interesa mucho y que aprende rápido.
● ¿Y cómo se llama este otro chico?
○ ¿Pedro?
● Sí. Pedro. Pedro Castellanos. A mí me ha gustado. Tiene de bueno que ha trabajado en una editorial y...
○ Sí, pero piensa que era una editorial pequeña con una facturación de menos de 2 millones de euros.
● Sí, pero también parece un chico capaz y que se ha formado en el mundo editorial desde abajo.
○ Sí. Eso, sí.
● Si te fijas en su currículum, empezó pues promocionando las novedades editoriales y a los tres meses de estar en su empresa subió hasta jefe de proyectos. Eso significa que está acostumbrado a trabajar y a dirigir grupos.

○ Bueno, de hecho, entre sus tareas se incluía la de coordinar a todo el equipo de redactores; o sea, que sabe dirigir equipos. En ese sentido es perfecto para el puesto. Pero, a ver, no hablaba inglés, ¿verdad?

● No. Los idiomas creo que son su punto débil. Aunque tiene una excelente formación académica: un master en edición, varios cursos y seminarios... Si su formación es buena. La verdad es que el punto débil es el inglés.

○ Sí.

● Sí. Y no sé... ¿No te ha parecido un poco prepotente?

○ ¿Tú crees?

● Sí. Como demasiado seguro de sí mismo.

○ Yo no he tenido para nada esa sensación. Me ha parecido, eso sí, un chico ambicioso y que sabe lo que quiere. Quizá la chica, Marisa, me ha parecido más fría y distante. No sé si encajará en la empresa.

○ Bueno...

## 8. JEFES

1.

● ¿Y tú, Rosa? ¿Tienes algún recuerdo en especial de un jefe que hayas tenido?

○ Pues sí, sobre todo de mi primer jefe, que... Bueno era la jefa, era la dueña del bar donde empecé a trabajar.

● ¡Ah!, ¿en un bar, trabajaste?

○ Sí, sí, sí... Bueno, para pagarme los estudios.

● Ya.

○ Lo típico. Pero la verdad es que era una señora muy maja. Muy legal, sí, sí. Es que te daba así como mucho margen y valoraba tu trabajo. La verdad es que le cogí mucho aprecio.

● O sea, que sabía confiar en la gente...

○ Sí, sí, sí... Además yo en aquella época era muy joven y la verdad es que me ayudó mucho a valorarme a mí misma, a creer en mis capacidades.

● ¿Dirías que eso es lo que te enseñó, lo que aprendiste de esa jefa?

○ Sí, también que ahora yo, cuando estoy en un trabajo, ya el "no puedo hacerlo" ya no lo digo. Lo sustituyo por el "tengo que hacerlo" o el "soy capaz de hacerlo" y realmente eso se lo debo a ella.

● Ah, pues eso está muy bien.

○ Sí, sí, sí...

2.

● Y tú, Juan Luis, ¿tienes algún recuerdo en especial de un jefe que hayas tenido?

○ Mira, sí. Tuve uno que era muy particular. Era un señor serio, distante, a pesar de que todos sabíamos que era muy buena persona, nunca se acercó a nosotros.

● ¿Era mayor? Perdona...

○ Sí, tenía unos diez años más que yo. Y era muy distante. Realmente, el recuerdo básico de él es la distancia que ponía entre nosotros, había como una barrera establecida.

● O sea, le costaba comunicar.

○ Sí. Básicamente creo que hubiera sido mucho más efectivo nuestro trabajo si hubiese dejado abierto un lazo de comunicación.

● Ya. Y bueno, a lo largo de esa experiencia, ¿aprendiste algo de ese jefe? ¿Te enseñó?

○ Sí. Por casualidad me tocó sustituirlo. Fui yo la persona que le reemplazó cuando dejó el cargo y me di cuenta que era básico establecer ese nexo entre los trabajadores y yo, de manera de hacer mucho más efectivo nuestro trabajo.

● O sea, que en el fondo aprendiste de los errores de otra persona.

○ Sí, sí. Básicamente fue una gran lección.

● Al final, ¿qué dirías: qué tienes un buen o un mal recuerdo de esta persona?

○ Básicamente es un recuerdo bueno. Se sabía que era una buena persona.

## UNIDAD 10 / COMO NO LO SABÍA...

### 4. REPROCHES

1.

● Al final decidí no decirle a mi madre que me iba de vacaciones.

○ Sinceramente, creo que deberías habérselo dicho.

2.

● Mi hijo quería hacer un viaje a la India, pero no tenía dinero y no fue.

○ Pues podrías habérselo pagado. ¡Pobrecillo!

3.

● Mira, es que mañana no podré venir a trabajar porque tengo un examen en la universidad.

○ Bueno, no pasa nada, pero me lo podrías haber dicho antes. Ahora tengo poco tiempo para encontrar una sustituta.

4.

● Le pedí a mi hermano unas fotos de cuando era pequeña, porque él guarda todas las fotos de la familia, para un álbum que estoy haciendo. Pues no me las quiso dar. ¿A ti te parece normal?

○ ¡Hombre! Te las tendría que haber dado, ¿no?

5.

● Encontré un piso que no era muy caro y muy céntrico, pero, al final, no me lo compré. La verdad es que ahora me arrepiento.

○ Y con razón, porque ahora están carísimos. Tendrías que habértelo comprado.

### 9. GRANDES DECISIONES

1.

● ¿Has tomado alguna vez alguna decisión que luego haya tenido un efecto importante en tu vida?

○ Pues la verdad es que sí. Hace mucho tiempo, por eso, cuando era pequeña. Hacía ballet y me encantaba: disfrutaba muchísimo, lo pasaba muy bien...

● Qué bonito.

○ Sí, pero es que el ballet es muy sacrificado.

● Mm.

○ Eran muchas horas después del cole, algunos sábados... Claro, en la academia eran muy exigentes, y yo no tenía tiempo libre para mí ni para ver a mis amigos.

● Ya, tú querías salir y...

○ Bueno...

● Jugar y...

○ Claro, llegas a una edad que te tira más el estar con los amigos que estar dedicándote a hacer ballet, la verdad.

● Ya.

○ Así que al final lo dejé, pero la verdad es que siempre he pensado que si hubiese continuado, no sé... Igual ahora sería una bailarina famosa. ¡Quién sabe!

● Ya...

**2.**

● ¿Has hecho alguna vez algo que haya cambiado tu vida?

○ ¡Y tanto! Hace tres años mi situación en Venezuela, que es el país de donde soy, no estaba tan bien porque había perdido mi trabajo y las perspectivas de obtener uno nuevo no eran muy buenas.

● Ya.

○ Tenía a un amigo que se había ido a Barcelona y me dijo que aquí había oportunidades...

● Mm.

○ Y decidí cruzar el charco. Y, efectivamente, al llegar acá pues se han abierto muchas puertas para mí.

● ¿Y estás contento?

○ Mucho. Mucho, mucho, mucho. He conocido gente maravillosa. La ciudad es muy bella y estoy seguro que si me hubiera quedado allí mi situación ahora no sería tan buena, tan maravillosa.

● Ajá.

**3.**

● ¿Has tomado alguna vez una decisión importante que haya cambiado tu vida?

○ Bueno, una no, ¡muchas! Pero así una que pueda recordar... Cuando estaba en la escuela. Yo estudiaba en una escuela de monjas, en la que habían estudiado mis primas, mi hermana...

● Ya.

○ Y la idea que tenían mis padres, y que habían tenido mis tíos, era que estuviéramos hasta los 16 años y luego, pues nada, empezar a trabajar en una oficina o en lo que saliera...

● O sea, que querían que fueras secretaria.

○ Sí.

● ¿No?

○ Y no es que hubiera problemas económicos en casa, ¿no?, pero era la idea que... el destino que teníamos todas marcado: estudiar hasta los 16 y luego empezar a trabajar. Y un año vino una profesora muy joven, muy simpática, que, bueno, nos contaba historias de cuando ella estudiaba en la universidad, de sus amigas..., y nos hizo cambiar un poco de mentalidad: nos hizo darnos cuenta de que igual el mundo

no acababa ahí, la educación no se tenía por qué acabar a los 16 años. Y se me metió en la cabeza que yo quería continuar estudiando. Me rebelé un poco con ese destino.

● ¿Y a tus padres les parecía bien?

○ Bueno, tuve que convencerles, la verdad. Ahí me ayudó mucho el ambiente de la escuela, esa profesora les dijo que, bueno, que valía la pena, que sacaba buenas notas y eso... Y sí, al final los convencí y fui a la universidad, y ya está.

● O sea, que todo gracias a esa profesora.

○ Sí, sí. Y si no, pues imagínate: mi vida hubiera sido pues muy diferente... Sería pues como la vida de mis primas, que están... Bueno, sería diferente. Ni mejor ni peor, pero diferente.

● Claro.

## MÁS CULTURA / UNIDAD 1

**YIRA, YIRA**

Cuando la suerte qu' es grela,
fallando y fallando
te largue parao;
cuando estés bien en la vía,
sin rumbo, desesperao;
cuando no tengas ni fe,
ni yerba de ayer
secándose al sol;
cuando rajés los tamangos
buscando ese mango
que te haga morfar...
la indiferencia del mundo
-que es sordo y es mudo-
recién sentirás.

Verás que todo es mentira,
verás que nada es amor,
que al mundo nada le importa...
¡Yira!... ¡Yira!...
Aunque te quiebre la vida,
aunque te muerda un dolor,
no esperes nunca una ayuda,
ni una mano, ni un favor.

Cuando estén secas las pilas
de todos los timbres
que vos apretás,
buscando un pecho fraterno
para morir abrazao...
Cuando te dejen tirao
después de cinchar
lo mismo que a mí.
Cuando manyés que a tu lado
se prueban la ropa
que vas a dejar...
Te acordarás de este otario

que un día, cansado,
¡se puso a ladrar!

Verás que todo es mentira,
verás que nada es amor,
que al mundo nada le importa...
¡Yira!... ¡Yira!...
Aunque te quiebre la vida,
aunque te muerda un dolor,
no esperes nunca una ayuda,
ni una mano, ni un favor.

## MÁS CULTURA / UNIDAD 5

LA REVOLTOSA / Dúo de Mari Pepa y Felipe

| | |
|---|---|
| Felipe: | ¿Por qué de mis ojos los tuyos retiras? ¿Por qué? |
| Mari Pepa: | ¿Por qué me desprecias? ¿Por qué no me miras? ¿Por qué? |
| Felipe: | ¿Yo? ¡No! |
| Mari Pepa: | ¡Tú! |
| Felipe: | ¡No! ¿Por qué de ese modo te fijas en mí? |
| Mari Pepa: | ¿Qué quieres decirme mirándome así? ¿Por qué sin motivos te pones tan triste? ¿Por qué? |
| Felipe: | ¿Por qué de mi lado tan pronto te fuiste? ¿Por qué? |
| Mari Pepa: | ¿Yo? ¡No! |
| Felipe: | ¡Tú! |
| Mari Pepa: | ¡No! |
| Felipe: | ¿Por qué de ese modo te fijas en mí? |
| Mari Pepa: | ¿Qué quieres decirme mirándome así? |
| Felipe: | ¡Así! |
| Mari Pepa: | ¡Así! |
| Felipe: | ¿Me quieres? |
| Mari Pepa: | ¿Me quieres? |
| Felipe: | ¿Me quieres? |
| Mari Pepa: | ¿Me quieres? |
| Felipe: | ¡Sí! |
| Mari Pepa: | ¡Sí! ¡Ay, Felipe de mi alma! ¡Si contigo solamente yo soñaba! |
| Felipe: | ¡Mari Pepa de mi vida! ¡Si tan sólo en ti pensaba noche y día! ¡Mírame así! |
| Mari Pepa: | ¡Mírame así! |
| Los dos: | ¡Pa' que vea tu alma leyendo en tus ojos, y sepa (serrana / serrano) que piensas en mí... |

| | |
|---|---|
| Felipe: | La de los claveles dobles, la del manojo de rosas, la de la falda de céfiro, y el pañuelo de crespón; la que iría a la verbena cogidita de mi brazo... ¡eres tú!... ¡porque te quiero, chula de mi corazón! |
| Mari Pepa: | ¡El hombre de mis fatigas, pa' mí siempre en cuerpo y alma, pa' mí sola, y sin que nadie me dispute su pasión! Con quien iría del brazo tan feliz a la verbena... eres tú... ¡porque te quiero, chulo de mi corazón! |
| Felipe: | ¡Ay, chiquilla! ¡Por Dios! ¡Por Dios! |
| Mari Pepa: | ¡Zalamero! ¡Chiquillo! |
| Felipe: | ¡Chiquilla! |
| Mari Pepa: | ¡No me hables así! |
| Felipe: | ¡Te quiero! |
| Mari Pepa: | ¡Te quiero! |
| Los dos: | ¿Me quieres tú a mí? ¿No te voy a querer, prenda mía?... De mí, ¿qué sería sin ti?... |
| Felipe: | ¡Nena mía! |
| Mari Pepa: | ¡Felipillo! |
| Felipe: | ¡Mi morena! |
| Mari Pepa: | ¡Mi querer! |
| Felipe: | ¡Ay! Tú eres esa. |
| Mari Pepa: | ¡Ay! Tú eres ese. |
| Los dos: | ¡Ay! Pues si tú no lo fueras mi vida, ¿quién lo había de ser? |
| Felipe: | ¡Ay! Tú eres esa. |
| Mari Pepa: | ¡Ay! Tú eres ese. |
| Los dos: | ¡Ay! Pues si tú no lo fueras mi vida, ¿quién lo había de ser? |
| Mari pepa: | ¡Chiquillo! |
| Felipe: | ¡Chiquilla! |
| Mari Pepa: | ¡No me hables así! |
| Felipe: | ¡Te quiero! |
| Mari Pepa: | ¡Te quiero! |
| Los dos: | ¿Me quieres tú a mí? |
| Los dos: | ¿De mí qué sería sin ti? |

## MÁS CULTURA / UNIDAD 7

1.
● Montse, ¿tú te has leído *La Regenta*?
○ Sí, me la leí hace tiempo, cuando estudiaba.
● ¿Y qué tal? ¿Qué recuerdas de *La Regenta*?
○ Bueno, pues la verdad es cuando empecé a leer *La Regenta*, me asusté un poco, porque el libro empieza con la descripción de Vetusta, y la verdad me pareció horrorosa porque son como mil millones de páginas describiendo Vetusta con un montón de adjetivos...
● Ya...

○ Me pareció todo súper lento. Así que me imaginé la ciudad con gente muy vieja, como muy mayor y todo muy lento, muy lento, como muy conservador.

● ¿Como muy tradicional, quieres decir?

○ Sí, tradicional. Con esta especie de... No sé, me la imaginé con esta especie de cuando en verano a las tres de la tarde con un calor horroroso, polvoriento, agobiante; que estás que no puedes más... Pues así me la imaginé.

● Ya, un agobio.

○ Sí. Agobiante.

● Y enonces imagino que no te gustaría vivir allí, ¿no?

○ Pues no, porque la vida allí la imagino aburrida, muy lenta, conservadora, con mucha presión del que dirán, del protocolo social, de las normas de comportamiento...

● Ya, claro.

○ Un aburrimiento, vamos.

2.

● Y tú, Víctor, ¿has leído *La Regenta*?

○ Sí.

● Y, ¿cómo te imaginas la vida en Vetusta? ¿Cómo te imaginas la ciudad?

○ Bueno, pues la vida en Vetusta yo me la imagino como una vida muy relacionada con las clases sociales...

● Sí.

○ En las que la gente de una clase social alta vivía en casas como palacios.

● Ya...

○ De una arquitectura muy vetusta, como su propio nombre indica.

● Sí, muy apropiado, sí.

○ Pero al mismo tiempo había gente muy pobre, que vivía en otra parte de la ciudad, con menos posibilidades.

● Ya.

○ Y las relaciones entre las personas eran las típicas de la época. O sea, yo creo que las relaciones estaban muy condicionadas por el tipo de ciudad en el que vivían...

● Con clases sociales muy marcadas...

○ Exacto. Entonces, las casas eran casas muy cerradas. Cada familia vivía en su casa, sin sacar de allí sus problemas y solamente se confesaban en la iglesia.

● Ya. Mucho secretismo, mucha presión...

○ Exacto. Y la ciudad pues también era un poco así: cada palacio y cada casa es un universo; y cada familia, un mundo. ¿Y las relaciones entre ellos? Pues eran como muy hipócritas.

● Ya. Muy pendientes, ¿no?, del que dirán...

○ Exacto.

● ...de la opinión de la gente...

○ Sí, sí, eso. Pero mira, las que sufrían mucho eran las mujeres por el tipo de vida este que llevaban. Y, además, por las limitaciones que les imponía una sociedad de este tipo, ¿no?

● Ya. Sí quizá... en las mujeres había más presión en aquella época.

○ Sí...

● Bueno, por suerte, creo, ¿no?, la vida en España ha cambiado mucho. Actualmente...

○ Bueno, no creas, ¿eh? Yo me imagino que todavía se pueden encontrar lugares en España, y en otros lugares, como Vetusta, ¿eh?, porque...

● ¿Tú crees?

○ Sí. Aunque, bueno, la verdad es que afortunadamente cada vez es menos frecuente.

● ¡Menos mal!

## MÁS CULTURA / UNIDAD 8

### A UN OLMO SECO (Antonio Machado)

Al olmo viejo, hendido por el rayo
y en su mitad podrido,
con las lluvias de abril y el sol de mayo
algunas hojas verdes le han salido.
¡El olmo centenario en la colina
que lame el Duero! Un musgo amarillento
le mancha la corteza blanquecina
al tronco carcomido y polvoriento.
No será, cual los álamos cantores
que guardan el camino y la ribera,
habitado de pardos ruiseñores.
Ejército de hormigas en hilera
va trepando por él, y en sus entrañas
urden sus telas grises las arañas.
Antes que te derribe, olmo del Duero,
con su hacha el leñador, y el carpintero
te convierta en melena de campana,
lanza de carro o yugo de carreta;
antes que rojo en el hogar, mañana,
ardas en alguna mísera caseta,
al borde de un camino;
antes que te descuaje un torbellino
y tronche el soplo de las sierras blancas;
antes que el río hasta la mar te empuje
por valles y barrancas,
olmo, quiero anotar en mi cartera
la gracia de tu rama verdecida.
Mi corazón espera
también, hacia la luz y hacia la vida,
otro milagro de la primavera.

### LA HIGUERA (Juana de Ibarbourou)

Porque es áspera y fea,
porque todas sus ramas son grises,
yo le tengo piedad a la higuera.

En mi quinta hay cien árboles bellos:
ciruelos redondos,
limoneros rectos
y naranjos de brotes lustrosos.

En las primaveras,
todos ellos se cubren de flores
en torno a la higuera.

Y la pobre parece tan triste
con sus gajos torcidos que nunca
de apretados capullos se visten...

Por eso,
cada vez que yo paso a su lado,
digo, procurando
hacer dulce y alegre mi acento:
-Es la higuera el más bello
de los árboles en el huerto.

Si ella escucha,
si comprende el idioma en que hablo,
¡qué dulzura tan honda hará nido
en su alma sensible de árbol!

Y tal vez a la noche,
cuando el viento abanique su copa,
embriagada de gozo, le cuente:
-Hoy a mí me dijeron hermosa.

**EL CIPRÉS DE SILOS** (Gerardo Diego)
A Ángel del Río

Enhiesto surtidor de sombra y sueño
que acongojas el cielo con tu lanza.
Chorro que a las estrellas casi alcanza
devanado a sí mismo en loco empeño.

Mástil de soledad, prodigio isleño,
flecha de fe, saeta de esperanza.
Hoy llegó a ti, riberas del Arlanza,
peregrina al azar, mi alma sin dueño.

Cuando te vi señero, dulce, firme,
qué ansiedades sentí de diluirme
y ascender como tú, vuelto en cristales,

como tú, negra torre de arduos filos,
ejemplo de delirios verticales,
mudo ciprés en el fervor de Silos.

**ÉBANO REAL** (Nicolás Guillén)

Te vi al pasar, una tarde,
ébano, y te saludé;
duro entre todos los troncos,
duro entre todos los troncos,
tu corazón recordé.

Arará cuévano,
arará sabalú.

-Ébano real, yo quiero un barco,
ébano real, de tu negra madera...
-Ahora no puede ser,

espérate, amigo, espérate,
espérate a que me muera.

Arará cuévano,
arará sabalú.

-Ébano real, yo quiero un cofre,
ébano real, de tu negra madera...
-Ahora no puede ser,
espérate, amigo, espérate,
espérate a que me muera.

Arará cuévano,
arará sabalú.

-Quiero una mesa cuadrada
y el asta de mi bandera;
quiero mi pesado lecho,
quiero mi lecho pesado,
ébano, de tu madera,
ay, de tu negra madera...
-Ahora no puede ser,
espérate, amigo, espérate,
espérate a que me muera.

Arará cuévano,
arará sabalú.

Te vi al pasar, una tarde,
ébano, y te saludé:
duro entre todos los troncos,
duro entre todos los troncos,
tu corazón recordé.

## UNIDAD 1 / MANERAS DE VIVIR

### 1.

**a.**

**hablar**
habla**ras**, hablá**ramos**, habla**ran**
habla**se**, habla**se**, habla**seis**
**comer**
comie**ra**, comie**ra**, comie**rais**
comie**se**, comie**ses**, comie**se**, comié**semos**, comie**seis**, comie**sen**
**vivir**
vivie**ra**, vivie**ras**, vivie**ra**, vivié**ramos**, vivie**rais**, vivie**ran**
vivie**se**, vivie**ses**, vivie**se**, vivié**semos**, vivie**seis**, vivie**sen**

**b.**

| | | | |
|---|---|---|---|
| **tener** | tuvieron | tuviera | tuviese |
| **poner** | pusieron | pusiera | pusiese |
| **traer** | trajeron | trajera | trajese |
| **venir** | vinieron | viniera | viniese |
| **estar** | estuvieron | estuviera | estuviese |
| **pedir** | pidieron | pidiera | pidiese |
| **oír** | oyeron | oyera | oyese |
| **producir** | produjeron | produjera | produjese |
| **saber** | supieron | supiera | supiese |
| **hacer** | hicieron | hiciera | hiciese |
| **morir** | murieron | muriera | muriese |
| **caber** | cupieron | cupiera | cupiese |
| **ir** | fueron | fuera | fuese |
| **querer** | quisieron | quisiera | quisiese |
| **andar** | anduvieron | anduviera | anduviese |
| **leer** | leyeron | leyera | leyese |
| **haber** | hubieron | hubiera | hubiese |
| **poder** | pudieron | pudiera | pudiese |
| **salir** | salieron | saliera | saliese |
| **sentir** | sintieron | sintiera | sintiese |

### 2.

1. compraríamos
2. fueran
3. pondría
4. estuviera
5. harías, pidiera
6. quisierais, podríais
7. supieras, dirías
8. te quedarías, pudieras

### 4.

1. a
2. de
3. en
4. a
5. de
6. con
7. de
8. de
9. a, con
10. con

### 5.

**a.**

**Juan**: c      **Fernanda**: b
**Sara**: d      **Agustín**: a

**b.**

**Ana**: solitaria
**Jaime**: ahorrador, tacaño

**Laura**: perezosa, holgazana, tranquila
**Carlos**: independiente, autónomo, espabilado
**Silvia**: ordenada

### 6.

**1.**
a. la mayoría son cosas que me hacen sentir bien.
b. me encantan.
c. a veces hay cosas que se hacen un poco pesadas.

**2.**
a. también disfruto haciendo cosas con mi pareja.
b. no creo en la pareja.
c. quedar con mis amigos, muchas veces me voy al cine solo o me quedo en casa leyendo.

**3.**
a. hay momentos en los que prefiero la compañía.
b. voy a empezar pronto los exámenes y me vendrá bien.
c. es lo que me apetece.

### 7.

1. me siento
2. disfruto
3. soy
4. tiene miedo
5. echas de menos / en falta
6. me encanta/gusta
7. llevas
8. te gusta
9. le encanta
10. me siento
11. te da miedo, siento
12. te da envidia
13. te da miedo

### 9.

1. venga
2. comer
3. mimara, diera
4. consumen
5. pudiera

### 11.

1. d
2. f
3. b
4. a
5. c
6. e

### 13.

**1.**
a. por
b. para

**3.**
a. para
b. por

**5.**
a. para
b. por

**2.**
a. por
b. para

**4.**
a. para
b. por

## UNIDAD 2 / ASÍ PASÓ

### 1.

1. Carla      2. Nuria y Alberto      3. Felipe

## 3.

**Texto A**

1. escenario, auditorio. Otras palabras: recinto, sala de conciertos.
2. Muchos ("varios miles de asistentes").
3. tema.
4. cruciales, magistrales, clásicos, conocidos.

**Texto B**

1. invitados, asistentes. Otras palabras: comensales, convidados.
2. cena, evento, ocasión, acto. Otras palabras: cita, acontecimiento.
3. eligió para la ocasión un vestido gris, optó por un vestido de noche, lucía un traje de color verde, llevaba un vestido de inspiración goyesca, acudió al acto con un llamativo traje de noche.
4. gris platino, que dejaba los hombros al descubierto, de noche, en un tono dorado, de Manuel Pertegaz, de color verde, de inspiración goyesca, informal, llamativo.

**Texto C**

1. juego, encuentro. Otras palabras: enfrentamiento, choque, duelo, contienda.
2. llegó el primer tanto; un golazo de Forlán, que lograba poner al Villarreal por delante en el marcador; envió el esférico al fondo de la red; un penalti (…) que Forlán no desaprovechó; consiguió igualar el encuentro. Otras palabras: anotar un gol, hacer subir un tanto al marcador.
3. perdió el control sobre el partido/ atacaba sin parar al Villarreal / las cosas se complicaron / un final muy tenso o emocionante.

## 5.

1. El barco se empezó a hundir tras el choque y, **a partir de ese momento** / **entonces**, la gente se puso histérica y empezó a correr.
2. Después de la guerra Civil, la situación en España no era nada fácil; **en aquella época** / **en aquellos años** muchos españoles se vieron obligados a emigrar.
3. Juan y Marta eran superamigos hasta que empezaron a trabajar juntos; **entonces** / **a partir de ese momento** su relación se fue deteriorando.
4. El Dridma y el Cabar, que hoy se enfrentan en la final de la Copa del Rey, se enfrentaron por primera vez en 1964; **en aquella ocasión** / **entonces**, el Dridma ganó por 3-0.

## 6.

había tenido/tuvo
tuvo
estaba
se celebró
valía
iban
era
iba
dirigía
llevaba
había sido
faltaba
fue

entregó
comunicaba
instaba
se temía
acababa
iba
se dirigió
estuvo
ocurrió
se cantaba
estaba
confesó/confesaba
dejaban/dejaron
pudo/podía
dio
hizo
entendió

## 7.

**a.**

**tristeza**: grande (gran), enorme, tremenda
**agua**: maloliente, negra
**navegación**: errática, difícil, impropia
**drama**: grande (gran), tremendo
**crudo**: viscoso, maloliente, negro
**reputación**: dudosa, impropia
**marea**: negra
**error**: grande (gran), tremendo, colosal, impropio
**imagen**: grande (gran), dudosa, colosal, impropia, enorme, tremenda
**mancha**: grande (gran), negra, viscosa, enorme,
**desastre**: grande (gran), ecológico, colosal, enorme, tremendo

**c.**

**gigante**: enorme, grande
**complicado**: difícil
**apestoso**: maloliente
**cuestionable**: dudoso
**oscuro**: negro
**fuerte**: tremendo
**inadecuado**: impropio
**magnífico**: colosal

## 8.

1. los pasajeros
2. el público, los espectadores
3. los telespectadores, los televidentes
4. los ciudadanos, la población
5. los invitados

## 9.

**a.**

disfrutaron
tuvo
defraudaron
supieron
fue

disfrutaban
empezó
obligó
dejó
acondicionaron
volvieron
hicieron

## UNIDAD 3 / ¿Y TÚ QUÉ OPINAS?

### 2.
1. conozcan, deba
2. tenemos/tendremos, pidan, es
3. tenga, prohíban
4. vayan, es/será/sería, vaya, intenten
5. le gusta, es, sea, obliguen

### 3.
1. mientras/siempre que/siempre y cuando
2. mientras/siempre que/siempre y cuando
3. (solo) si
4. (solo) si

### 5.
**a.**

**preservar**: preservación
**organización**: organizar
**apoyo**: apoyar
**adscripción**: adscribir(se)
**promoción**: promocionar
**cuidar**: cuidado
**disfrutar**: disfrute

**proteger**: protección
**convivir**: convivencia
**usar**: uso
**recuperar**: recuperación
**construir**: construcción
**crecimiento**: crecer
**consumir**: consumo

**b.**
Carlos Suárez: convivencia, disfrutar, organizar.
Mónica Martínez: uso, consumo, cuidado.
Francisco López: protección, apoyar, recuperación, promoción.
Margarita Crespo: protección, construcción, adscripción.

### 6.
**a.**
1. c            2. a            3. b

## UNIDAD 4 / SE VALORARÁ LA EXPERIENCIA

### 1.
1. hayan vivido
2. vivir
3. se hayan presentado
4. hayan terminado
5. haber nacido
6. presentarse

### 2.
1. aquellas personas
2. quienes
3. todos aquellos
4. quienes
5. aquellas personas
6. todos aquellos

### 3.
2. Este verano, **se han quemado** / **han sido quemados** numerosos...
3. En el último mes, **se han cerrado** / **han sido cerrado**s más de 20...
4. **Se han vendido** / **han sido vendido**s más de 40...
5. Cada día, **se sacrifican** / **son sacrificado**s miles de...
6. Cada año, **se venden** / **son vendidas** más de...
7. En la inauguración de las exposición, **se servirá** / **será servido** un aperitivo.
8. El próximo verano, **se convocarán** / **serán convocada**s oposiciones...

### 4.
**a.**
1. c            3. f            5. b
2. e            4. a            6. d

**b.**
a. seguir (una tendencia)
b. romper (con las normas); dar (un giro)
c. respondió (a una intención)
d. girar (en torno a la música)
e. tratar (con los fans)
f. se encarga (de conseguir los conciertos)

### 7.
**a.**

| Verbo | Sustantivo | Participio |
|---|---|---|
| exponer | exposición | expuesto |
| conceder | concesión | concedido |
| elegir | elección | elegido/electo |
| realizar | realización | realizado |
| romper | ruptura/rotura | roto |
| optar | opción | optado |
| transgredir | transgresión | transgredido |
| respetar | respeto | respetado |
| lograr | logro | logrado |
| concebir | concepción | concebido |
| descubrir | descubrimiento | descubierto |
| participar | participación | participado |

**b.**
2. ruptura
3. elección
4. La obra más vanguardista de varios artistas nobeles **será expuesta** en el Museo del Prado. / El Museo del Prado **expondrá** la obra más vanguardista de varios artistas nobeles.
5. Finalmente, el Dridma no tendrá **opción** al título de liga tras su derrota frente al Cabar.
6. Los votantes son conscientes de los **logros** de este Gobierno durante su mandato...

## UNIDAD 5 / LA VIDA ES PURO TEATRO

### 3.

**a.**

| | | |
|---|---|---|
| 1. c | 3. a | 5. b |
| 2. e | 4. f | 6. d |

**b.**

1. Este año **he empezado a buscar** piso porque...
2. Para la boda de mi hermano no **llevaré** ni...
3. **He colocado** la ropa...
4. Cuando dijeron su nombre, **se levantó** y dijo...
5. Siempre que ve a su novia **se alegra**.
6. Apaga el móvil. En ese cartel **dice** que...

### 4.

| | |
|---|---|
| 1. mal | 4. elegante |
| 2. como una fiera | 5. triste |
| 3. mejor | |

### 5.

**a.**

1. se había casado otra vez
2. abandonar la competición
3. está recién salido / lo he sacado del horno hace un momento
4. he continuado durmiendo
5. empieza a ladrar
6. has acabado de vestirte

**b.**

1. Yo lo acabo de ver
2. se pone a bailar
3. termine (de limpiar)
4. vuelven a estar juntos
5. seguir durmiendo
6. ha dejado de venir a verme / hace dos meses que dejó de venir a verme

### 7.

**a.**

| | |
|---|---|
| 1. relax, relajado | 10. angustia, angustiado |
| 2. extrañeza, extraño | 11. sorpresa, sorprendente |
| 3. desolación, desolado | 12. alegría, alegre |
| 4. timidez, tímido | 13. tristeza, triste |
| 5. enfado, enfadado | 14. tranquilidad, tranquilo |
| 6. fastidio, fastidiado | 15. nerviosismo, nervioso |
| 7. entusiasmo, entusiasmado | 16. desgana, desganado |
| 8. impaciencia, impaciente | 17. ansiedad, ansioso |
| 9. inquietud, inquieto | 18. cariño, cariñoso |

**b.**

*Sugerencia*

**Ideas contrarias**

tranquilidad / inquietud, nerviosismo, ansiedad

relax / nerviosismo, inquietud, ansiedad
alegría / tristeza, desolación, angustia
entusiasmo / desgana

**Ideas similares**

extrañeza, sorpresa
relax, tranquilidad
impaciencia, inquietud, nerviosismo, ansiedad

**Causa-efecto**

sorpresa / alegría
sorpresa / tristeza
fastidio / enfado
tristeza / desgana

### 8.

**a.**

**Mientras** Ana duerme, una figura sin identificar entra por la ventana y va **hacia** la cama **sin** hacer ruido. El desconocido **se queda** quieto **delante de** la cama y mira a Ana **fijamente**. Tras unos segundos, **se acerca** a la mesilla y deja **encima** un pequeño paquete y una nota. A continuación, **se gira** y camina **lentamente** hacia la ventana. Sin embargo, **al** salir, tropieza y Ana se despierta **sobresaltada**.

## UNIDAD 6 / DIJISTE QUE LO HARÍAS

### 1.

*Sugerencia*

**a.**

1. La semana que viene empieza a emitir Canal 10.
2. La programación serán vídeos grabados por la gente.
3. Si un programa no tiene mucha audiencia, lo quitan.
4. Va a haber una especie de comité que es el que va a decidir qué vídeos se ponen y cuáles no: van a poner los mejores; los ofensivos o los de mal gusto, no.

**c.**

*Sugerencia*

**Emisión:** podría aparecer en un texto escrito o en una conversación sobre contaminación ambiental para referirse, por ejemplo, a los gases contaminantes que producen las fábricas, los coches...

**Concurso:** podría referirse a las convocatoria de una administración pública para la realización de alguna obra o la prestación de algún servicio.

**Espectador:** podría aparecer en la crítica de una obra de teatro para referirse al público asistente.

**Programación:** podría aparecer en un folleto de información sobre un curso de Informática para referirse a la parte del mismo que tratará sobre la elaboración de programas.

**Parrilla:** podría referirse a la rejilla que se utiliza para asar carne.

**Espacio:** podría referirse a la región del universo más allá de la atmósfera terrestre.

## 2.

**a.**

*Sugerencia*

**Exposición del problema**
Canal 10 ha celebrado su primer aniversario, pero no ha cumplido las promesas que había anunciado.

**Ejemplos del problema**
La cadena prometió que en su programación habría humor, pero la presencia de este es exagerada y suele ser de mal gusto.

Canal 10 prometió que emitirían producciones de los espectadores seleccionadas por un comité de calidad, pero muchas de ellas no tienen la calidad suficiente o son una forma de publicidad encubierta.

El canal prometió sorprender con una parrilla variable, pero lo que han hecho es no tener en cuenta las franjas horarias y emitir contenidos inapropiados a ciertas horas.

**Conclusión**
El telespectador espera que Canal 10 rectifique en los próximos meses para ofrecer la programación de calidad anunciada.

**b.**
**Ordenar ideas:** en primer/segundo lugar; y, por último.
**Presentar una opinión personal:** a mi entender.
**Añadir información que complementa la anterior:** y, además.
**Presentar el cumplimiento de una acción:** pues bien.

**d.**

*Sugerencia*

**1.** Se ha demostrado que muchas de las cosas que habían prometido no eran ciertas.
**2.** El humor de la cadena es de la peor calidad.
**3.** Casi todos los programas hechos por el público son muy malos.
**4.** En realidad se trata de anuncios de mala calidad.

## 3.

**a.**

*Sugerencia*

| Productos | Público |
|---|---|
| 1. sistema de calefacción | padres/madres de familia |
| 2. seguro de vida/hogar... | personas de mediana edad |
| 3. reproductor de MP3 | jóvenes |
| 4. plan de pensiones | personas de mediana edad |
| 5. crema antiarrugas | personas a partir de los 30 |
| 6. cámara digital | público adolescente en adelante |

## 4.

**a.**

*Sugerencia*

**Una manta** es una pieza grande de tela gruesa que usamos para protegernos del frío cuando dormimos.

**Un cojín** es como una almohada suave y blandita donde descansas la cabeza cuando estás en el sofá.

**Un mantel** es una pieza de tela o de plástico que pones encima de la mesa para protegerla cuando comes.

**Una persiana** es una cosa de plástico, de madera o de metal que se coloca en las ventanas y que se sube o se baja para dejar entrar la luz o no.

## 5.

*Sugerencia*

1. lo perdonara.
2. apuntarse todas las fechas importantes / que no le vuelva/volviera a ocurrir.
3. cambiarlos / que se los cambiaran.
4. que se la tradujera.

## 6.

| | |
|---|---|
| 1. b | 3. a |
| 2. d | 4. c |

## 7.

2. que se va a estropear.
3. que se va a romper.
4. que se va a caer.
5. que se van a rayar.
6. que se te va a manchar la camisa.

## 8.

1. salga, saliera   2. llegue, llegara   3. habilite, estuviera

# UNIDAD 7 / LUGARES CON ENCANTO

## 2.

1. nadie **a quien** no le guste
2. el parque **a donde** / **al que** te llevé
3. un lugar **en el que** / **donde** se pueda bailar
4. el edificio **al que** me refería
5. el único **en el que** / **donde** se aceptan perros

## 3.

| | |
|---|---|
| 1. por los que | 6. en la que / en la cual |
| 2. la cual / que | 7. desde la cual / desde la que |

3. en el que
4. la cual / que
5. de los que / de los cuales

8. lo cual / lo que
9. lo que
10. con lo que

## 4.

### León

El casco antiguo de León, en cuyas calles se pueden encontrar numerosas tascas y tiendas, es también conocido como "barrio húmedo".

La vida en León, cuyo origen se remonta a la época de los romanos, transcurre en torno a la Plaza de Santo Domingo, la cual es el verdadero corazón de la ciudad.

La catedral, cuya construcción se inició en 1255, es uno de sus edificios más deslumbrantes en el que destacan las impresionantes vidrieras medievales.

El museo de León, en el cual se pueden ver obras del siglo XI, se encuentra en el Hostal San Marcos, cuya construcción data del S. XVI y que es también un Parador de Turismo.

### Málaga

Málaga, cuyo puerto era codiciado por los antiguos pueblos mediterráneos, es la capital de la Costa del Sol.

En el Jardín Botánico-Histórico de La Concepción, cuya quietud siempre sorprende al visitante, está escrita la historia reciente de Málaga.

Pablo Picasso, cuya casa natal se ha convertido en la Fundación Pablo Ruiz Picasso, nació en el número 36 de la Plaza de Riego, cuyo nombre actual es Plaza de la Merced.

### Zacatecas

Zacatecas, cuyo nombre significa "lugar donde abunda el zacate", fue fundada en 1547 y está ubicada a 2.496 m de altitud.

En 1914, tuvo lugar en Zacatecas una célebre batalla de la Revolución Mexicana en la que Francisco Villa tomó la ciudad y la liberó del ejército federal de Victoriano Huerta.

En 1993, Zacatecas, que encierra magníficos templos vestidos de arte virreinal del S. XVIII, fue declarada Patrimonio Cultural de la Humanidad por la UNESCO.

La Catedral, la cual es una de las obras más representativas del magnífico barroco mexicano, que es sin duda la mayor joya arquitectónica de Zacatecas.

## 5.

**a.**
La respuesta es para la intervención número 2 (Bea).

## 6.

**a.**
1. en la que
2. por las que
3. que, que
4. donde / en los que, a los que
5. que
6. que, que

# UNIDAD 8 / ANTES DE QUE SEA TARDE

## 2.

2. enfriamiento
3. menores
4. de manera ineficiente / mal
5. disminuyendo/bajando/descendiendo/decreciendo
6. abandonar
7. los países más desfavorecidos / los países con menos recursos / los países más pobres

## 3.

1. El CO2 es un gas tóxico responsable del efecto invernadero.
2. (el) efecto invernadero, que está provocando el calentamiento global de la Tierra.
3. (...) deberíamos desarrollar fuentes alternativas de energía antes de que se agote el petróleo.
4. La escasez de agua potable es una amenaza que afecta ya a 100 millones de personas.

## 5.

**a.**
ratón

**b.**
*Sugerencia*
**pantalla**: ordenador, cine, PDA, reproductor de DVD portátil
**teclado**: ordenador, cajero automático
**cobertura**: televisión por satélite
**batería**: coche, ordenador portátil, reproductor de MP3
**tono**: módem
**cargador**: reproductor de MP3, manos libres
**tarjeta**: cajero electrónico

## 6.

1. fui
2. resulten
3. hay, dejan

4. sea
5. quede
6. confirmaron

7. seamos
8. nos quedemos
9. se agotan/se agoten

## 7.

*Sugerencia*
**reducción**: podría aparecer en una noticia relativa a la capa de ozono para referir a la disminución de la misma.
**reclusión**: podría aparecer en una noticia para referirse a una sentencia de cárcel para un criminal.
**latido**: podría aparecer en una enciclopedia médica para referirse a los golpes producidos por el movimiento del corazón.
**tostada**: podría aparecer en una receta en la que se usan tostadas como ingrediente.
**etiquetado**: podría referirse a una noticia relativa a una

denuncia de la Unión de Consumidores, porque algunas tiendas no cumplen con la obligación de etiquetar los productos.

**huida**: podría aparecer en una noticia relacionada con el atraco a un banco para referirse a cómo escaparon los ladrones.

**hospedaje**: podría aparecer en el anuncio de una empresa que ofrece este tipo de servicio en Internet.

**levantamiento**: podría aparecer en una crónica deportiva para referirse a la prueba que consiste en levantar peso.

## 8.
**a.**

| | |
|---|---|
| **bueno** | bondad |
| **dulce** | dulzura |
| **feliz** | felicidad |
| **nuevo** | novedad |
| **describir** | descripción |
| **embriagar** | embriaguez |
| **suelto** | soltura |
| **flaco** | flaqueza |
| **atroz** | atrocidad |
| **cuerdo** | cordura |

## 9.
**a.**

1. Muchos turistas viajan al Caribe por la **calidez** de sus aguas.
2. La **escasez** de las reservas energéticas preocupa a la comunidad mundial.
3. No soporto más tu **testarudez**.
4. La **firmeza** debe caracterizar las actuaciones de los estados para castigar los atentados contra el medio ambiente.
5. Algunas de las mejores ideas de la historia sorprenden por su **sencillez**.
6. Mi abuela siempre ha tratado a sus nietos con mucha **dulzura**.

**b.**

1. La rueda de prensa que ofreció el presidente sorprendió por lo **breve** que fue.
2. Eso que acabas de decir es algo **idiota**.
3. Las últimas fotos de Rita Ponte han levantado polémica porque la modelo está **delgadísima**.
4. Uno de los puntos fuertes de este hotel es lo **riguroso** que es el servicio.
5. Por desgracia, nadie tiene la clave para ser **feliz**.

## 11.

1. Ana dejó a su pareja dos días **después de decirles** a sus amigos que se casaba.
2. Carmen y Alberto se mudaron al campo un año **después de que sus hijos se independizaran**.
3. El presidente del Dridma confirmó la renovación de Fleckham unas horas **después de que el entrenador**

**anunciara** que dejaría el equipo.
4. Marco dejó los estudios de medicina en 2006, un año **después de empezar** la carrera.
5. Antonio y Carmen se fueron a vivir juntos seis meses **después de conocerse** en una fiesta.

## 12.
accidente: siniestro
incendio: fuego, las llamas
coche: vehículo, turismo, automóvil
persona que lo conducía: conductor, ocupante, accidentado

## 13.
*Sugerencia*
**a.**
residencia, hogar, piso, vivienda, domicilio, morada, finca

**b.**
viviendas, mansión, inmueble

**c.**
1. casa
2. inmueble, vivienda

# UNIDAD 9 / VIVIR PARA TRABAJAR

## 5.
**a.**
1. auxiliar de vuelo
2. médico
3. telefonista

## 6.
1. te llevas bien / tienes una buena relación
2. cobran/ganan
3. imagen
4. estrés/presión
5. posibilidades/capacidades
6. sale/se va
7. ser
8. rinde/trabaja/se esfuerza

## 10.
| | |
|---|---|
| 1. c | 4. a |
| 2. e | 5. b |
| 3. d | |

## 11.
La frase número 3.

## 13.

**a.**

**Bocadillo Zipizape**: bocadillo hecho con dos rebanadas de pan crujiente aderezadas con distintos tipos de salsas entre las cuales se coloca una hamburguesa de carne hecha al fuego de leña, aderezada con aceite virgen y cubierta con láminas de queso fundido, rodajas de tomate verde y aros de cebolla tierna.

# UNIDAD 10 / COMO NO LO SABÍA...

## 2.

| | |
|---|---|
| 1. tanto | 4. tantas |
| 2. tan | 5. tanto |
| 3. tanta/tanto | 6. tantos |

## 3.

*Sugerencia*

2. ...si hubiera estado en su misma situación.
3. ...si me hubieras avisado.
4. ...si hubieras venido a verla.
5. ...si lo hubieras conocido.
6. ...si me lo hubieras pedido.

## 4.

| | | |
|---|---|---|
| 1. idea | 5. dan | 9. mano |
| 2. da | 6. nulo | 10. vista |
| 3. malo | 7. entiende | 11. olfato |
| 4. nada | 8. bien | 12. bueno |

## 6.

**b.**

| | |
|---|---|
| 1. informática y electrónica | 4. alimentación |
| 2. electrodomésticos | 5. suministros |
| 3. telefonía | 6. restauración |

## 8.

| | |
|---|---|
| 1. gracias a que | 4. como |
| 2. por culpa de | 5. ya que |
| 3. porque | 6. a causa de |

## 10.

**a.**

| | |
|---|---|
| 1. d | 4. b |
| 2. e | 5. c |
| 3. a | |

# MÁS CULTURA

## UNIDAD 2

## 2.

**a.**

Hace referencia a la labor de intérprete de Malinche (cuarto párrafo: "...su trabajo como intérprete..."; quinto párrrafo: "...Al traducir e interpretar..."

**b.**

• La figura de Malinche es vista negativamente por muchos, ya que consideran que traicionó a su pueblo para ayudar a los españoles en la conquista.
• El malinchismo es una manera de referirse al desprecio de lo propio (el país, la cultura...) en favor de lo extranjero.
• Malinche está relacionada con la leyenda de "La llorona".

## UNIDAD 5

**a.**

1. Es un género musical.
2. Suele reflejar la vida cotidiana de Madrid.
3. La zarzuela se encuentra actualmente en ligera decadencia.

**c.**

**Serrano/a**: persona que ha nacido o que vive en una sierra. Tratándose de una obra ambientada en Madrid, es probable que el uso del vocativo "serrano/a" haga referencia a la procedencia de los personajes de alguna de las sierras que rodean la ciudad.
**Chulo/a (de mi corazón)**: un chulo era una persona de las clases populares madrileñas caracterizada por su actitud presumida.
**Chiquilla**: niña, muchacha.
**Zalamero**: persona que demuestra cariño de una forma que puede resultar excesiva o interesada.
**Prenda (mía)**: persona a la que se ama intensamente.
**Nena (mía)**: niña de corta edad.
**Felipillo**: diminutivo de Felipe.
**(Mi) morena**: persona que tiene la piel oscura o el pelo de color negro o castaño.
**(Mí) querer**: cariño, amor.

Todas las palabras y expresiones anteriores se usan en el texto para dirigirse con cariño a una persona.

**e.**

El fragmento pertenece a la parte final de la obra.

## UNIDAD 7

**b.**

La imagen número 3 corresponde a la catedral de Oviedo.